A NEW CHINESE COURSE

3

新编汉语教程

主　编　黄政澄（北京语言大学）

编　者（以姓氏笔画为序）

马燕华（北京师范大学）

李　泉（中国人民大学）

赵燕琬（北京大学）

黄政澄（北京语言大学）

英文审校　Jessica K. Fritz

北京语言大学出版社
BEIJING LANGUAGE AND CULTURE
UNIVERSITY PRESS

图书在版编目（CIP）数据

新编汉语教程 . 第 3 册/黄政澄主编；马燕华，李泉，
赵燕琬编 . － 北京:北京语言大学出版社,2013 重印
　ISBN 978 － 7 － 5619 － 2143 － 2

　Ⅰ . 新… Ⅱ .①黄…②马…③李…④赵… Ⅲ . 汉语－对
外汉语教学－教材 Ⅳ . H195.4

中国版本图书馆 CIP 数据核字（2008）第 099062 号

书　　　名:	新编汉语教程 . 第 3 册
责任编辑:	程　洲
封面设计:	蒋宏工作室
责任印制:	汪学发

出版发行: **北京语言大学出版社**

社　　　址:	北京市海淀区学院路 15 号　邮政编码: 100083
网　　　址:	www.blcup.com
电　　　话:	发行部　82303650 /3591 /3651
	编辑部　82303647
	读者服务部　82303653 /3908
	网上订购电话　82300090
	客户服务信箱　service@blcup.net
印　　　刷:	北京中科印刷有限公司
经　　　销:	全国新华书店

版　　　次:	2008 年 7 月第 1 版　2013 年 2 月第 2 次印刷
开　　　本:	889 毫米 ×1194 毫米　1/16　印张: 12.5
字　　　数:	235 千字　　　　印数:3001—3500 册
书　　　号:	ISBN 978 － 7 － 5619 － 2143 － 2 / H.08132
定　　　价:	36.00 元

凡有印装质量问题，本社负责调换。电话:82303590

目录 *Contents*

词类简称表
Abbreviations

（名）	名词	míngcí	noun
（代）	代词	dàicí	pronoun
（动）	动词	dòngcí	verb
（助动）	助动词	zhùdòngcí	auxiliary verb
（形）	形容词	xíngróngcí	adjective
（数）	数词	shùcí	numeral
（量）	量词	liàngcí	measure word
（副）	副词	fùcí	adverb
（介）	介词	jiècí	preposition
（连）	连词	liáncí	conjunction
（助）	助词	zhùcí	particle
（叹）	叹词	tàncí	interjection
（象声）	象声词	xiàngshēngcí	onomatopoeia
（头）	词头	cítóu	prefix
（尾）	词尾	cíwěi	suffix

前　言

　　《新编汉语教程》是一套专为海外学生编写的供基础阶段教学使用的汉语教材。本教程共四册，另有四本练习册与之配套。每一册供一学期（60～100课时）使用。全套教材包括3000个常用词，300多个语法点，1500个常用汉字。

　　几十年来，海内外编写出版的基础汉语教材已有不少，它们各具特色，各有所长，各自发挥了应有的效用。但是，社会在前进，语言教学理论、语言教学方法在发展，我们深切感到应尽快编写既能借鉴以往的同类教材的成功经验，又能汲取语言教学理论、教学方法研究最新成果的新一代教材，以满足当今海内外汉语教学的需要。

　　《新编汉语教程》正是在这种思想指导下作出的一种新的探索。

　　《新编汉语教程》在编写过程中曾三次召开专家咨询鉴定会，北京语言大学、北京大学、北京师范大学、中国人民大学等的许多专家、教授对教材提出了不少宝贵意见，对他们的大力支持和帮助，我们表示衷心的谢忱。我们真诚希望使用本教材的国内外同行提出意见。

　　本书编写首先由主编提出方案，编者具体分工如下：

　　课　文、生　词：黄政澄

　　功　　　　　能：李　泉

　　注　　　　　释：赵燕琬

　　语音、汉字练习：马燕华

　　编者在集体讨论和吸收专家意见的基础上完成初稿，最后由主编增删统稿。

　　《新编汉语教程》三、四册共25课，由社会问题（一）、社会问题（二）、中国文化、中国历史地理概况、国际局势及其他等五个单元组成，每单元5课。丁文月、田中平等固定人物贯穿全书。我们课文的编写原则为：在适合学生语言水平和理解能力、语言能力的前提下，内容或贴近真实的社会生活，或民族文化含量高，如家庭、人口、环境保护、中国礼俗、汉语新词语等，使学生一接触就能产生兴趣，就能有话要说，有话可说，并能在掌握语言结构的同时学到汉语中所蕴含的民族文化知识，了解中国。

　　生词：每课生词50～60个，三、四册共出生词1500个，85％为《汉语水平词汇与汉字等级大纲》中的乙级词和部分一、二册没编入的甲级词。各册后附有词汇表。

　　功能：在一、二册交际功能基础上，三、四册继续突出交际功能训练。每课都设有4～8个重点训练项目，三、四册共出功能项目112个，功能点181点。掌握了这些，学习者的汉语能力不仅能满足基本的日常生活、社交和一定范围内学习的需要，而且能就与课文有关的熟悉话题进行一般性的成段表达。功能项目及其分类附在书后。

注释：除必要的文化背景知识和一些难词难句的简明注释外，主要是对课文中出现的属于汉语水平等级大纲中的乙级语法和少部分常用的丙级语法作必要的实用性注释。课文中凡需要注释的地方均用阿拉伯数码标示。书后附有语法索引。

为更好地培养学生实际运用汉语的能力，三、四册新设了词语例解和阅读课文两项。

词语例解：每课选择5个常用词语，对它们的词性、词义和基本用法作综合归纳，配以典型例句，帮助学生提高驾驭用词造句的能力。词语索引附在书后。

阅读课文：为巩固课文所学内容，扩大视野，提高阅读速度和理解能力，每课均配有与课文内容有关的阅读课文。篇幅一般都在700～1200字左右，生词15～25个。同时设计了必要的思考题和阅读理解练习。

练习：练习单独成册。每课练习十几项，既有汉字练习，也有词语和语法点练习；既有机械性、控制性的单项练习，也有交际性的综合活用练习。

本书英文翻译：熊文华

杰西卡·K·弗里茨小姐对全书英文翻译进行了校阅，我们对她表示衷心感谢。

编者

INTRODUCTION

A New Chinese Course has been prepared for use by students as an elementary Chinese course book. It consists of four volumes of textbooks and workbooks, with 3,000 basic words, over 300 grammar items and 1,500 basic Chinese characters. Each volume is designed for 60-100 class-hours in an academic year.

Since the 1970s, a good number of Chinese textbooks have been devised and published at home and abroad. Each of them has features and merits of its own, and has been used in both teaching and learning. However, as language teaching theories and methods develop, we find it necessary to compile a new textbook on the basis of the success of similar textbooks published and the new accomplishments in the field of language teaching and research, so as to meet the demand of Chinese teaching home and abroad. *A New Chinese Course* is a product of such experimental efforts.

Grateful acknowledgments are due to the specialists and professors at the Beijing Language and Culture University, Beijing University, Beijing Normal University and People's University of China who met three times in the course of the preparation of this book and offered valuable advice and generous assistance. Any suggestions and criticisms from users of this book are earnestly welcome.

This course has been prepared on the scheme put forward by the chief editor, with Mr. Huang Zhengcheng（黄政澄）responsible for texts and new words, Mr. Li Quan（李泉）for function items. Ms. Zhao Yanwan（赵燕琬）for notes and Ms. Ma Yanhua（马燕华）for phonetics, characters and exercises.

The course was finally completed under the chief editor's overall planning and arrangements.

Volume Ⅲ & Ⅳ of *A New Chinese* Course consists of twenty five lessons, of which every five are grouped under a topic such as Social Issues（Ⅰ）, Social Issues（Ⅱ）, Chinese Culture, Chinese History & Geography in General and International Situations and others. Ding Wenyue, Tian Zhongping and other characters appear throughout the whole book. It is our compiling principle to present the texts close to real social life in a wide range of national and cultural themes including family, population, environmental protection, Chinese customs and Chinese neologism, so long as they are provided at the level fitting the learners' knowledge and language ability. The learners will hopefully be interested in these topics, wish to talk about them and have new subject matter available for their Chinese conversation. Thus , while learning sentence structures they obtain the knowledge of Chinese culture and learn more about China.

VOCABULARY   The number of new words in each lesson is limited between 50~60 odd. Of the 1, 500 words used in Volume Ⅲ & Ⅳ, 85% fall into Class A (not covered in Book Ⅰ & Ⅱ) and Class B defined in words and Characters. A vocabulary list is appended to the present book.

FUNCTIONS Special emphasis has been laid on the drills for communication as a continuation of Volume Ⅰ & Ⅱ. There are 4~8 key items for drilling in each lesson. In the present book the functional items total up to 112, and functional points 181. With a good mastery of them, learners will be able to communicate in their daily life, for their social activities and further studies, and hopefully they can make speech on the topics related to the texts. The functional items and their classifications are also supplemented to the present book.

NOTES   Apart from the necessary cultural background information, brief textual and syntactical explanations and annotations are mainly given to cover the grammar points of Class B and a few more common ones of Class C defined in *An Outline of Chinese Grammar*. An Arabic numeral in the text indicates that an annotation is given. There is a grammar index at the end of this book.

Word Study and Reading Comprehension are newly designed for the present book to help learners practise what they have studied.

WORD STUDY   Five commonly used words are chosen from each lesson for a brief explanation of their parts of speech, meanings and basic usage with sample sentences, so that learners will find it easy to use them. To the above said appendices a word index is added.

READING COMPREHENSION   Each text is accompanied with a relevant passage through which learners can review what they have learned and improve their abilities to read better and faster. Generally, each passage runs to 700~1,200 characters with only 15~25 new words and is provided with comprehension questions and exercises.

EXERCISES   All exercises, like those designed for Volume Ⅰ & Ⅱ, are printed in a separate book. There are as many as more than ten items in each lesson, ranging from Chinese character writing, practice of the usage of words or grammar points, mechanical or controlled single-item drills, to comprehensive exercises for communicative purposes.

This book is translated by Xiong Wenhua (熊文华). We are most grateful to Jessica K. Fritz for her kind assistance in revising the English translation.

第一课
Lesson 1　社会的细胞——家庭

一　课文 Text

　　家庭是什么？家庭是以婚姻和血统关系为基础的社会单位。① 有人把家庭比喻成社会的细胞。② 无数个细胞组成了人体；无数个家庭组成了社会。社会离不开③家庭，家庭离不开社会。

　　昨天下午，一位有名的社会学家来学校作报告，题目是"当前的家庭问题"。丁文月、田中平、林达、苏姗等人都去参加了。没想到对"家庭问题"感兴趣的人那么多，报告厅里坐得满满的④，大概有几百人。

　　社会在发展变化，家庭是否也在发生变化呢？报告人指出，在许多国家里，当前家庭结构变化有四个特点：

　　第一，家庭越来越小。有个国家最近十年来，一个人的家庭由5％增加到32％；两个人的家庭由17％增加到35％；三个人的家庭没有变化，仍然为15％；四口之⑤家由26％减少为12％；五口以上的家庭由37％减少为6％。那种几代人生活在一起的大家庭已经很少见了。家庭平均人口由4.2⑥人减少到2.9人。

　　第二，离婚率越来越高。在一些国家里，每三对结婚的人中就有一对离婚，少数大城市的比例达到二比一。离婚率比十年前增加了一倍。离婚率高的结果是家庭破裂，单亲家庭增多。

第三，非婚生子女越来越多。十年前，有个国家100个新出生的孩子中，非婚生的只有10个，现在达到28个。由于⑦非婚生孩子的生活条件、成长环境大多不太好，他们中的有些人容易走上⑧犯罪的道路，给社会带来很多问题。

第四，单身比例越来越大。许多年轻人认为，没有家庭和孩子，同样可以生活得很好。什么⑨婚姻啊，家庭啊，对于他们来说都是不重要的。⑩"一个人吃饱了，全家都不饿。"⑪他们追求的是一种自由自在的生活。

家庭结构发生了这么多的"越来越……"，怎么办呢？报告人说，许多国家的政府已经制定了多种政策和措施，相信问题会一步一步地得到解决。

走出报告厅，苏姗问丁文月："不想结婚，不要孩子，这是个人问题还是社会问题？"

"当然是社会问题。如果每个人都不结婚，不要孩子，那社会还能存在吗？"丁文月说。

"我不同意你的看法。'每个人都不结婚，不要孩子'当然不行。但是，事实上⑫，根本不可能有这种情形。我觉得结婚、生孩子完全是个人问题，而不是社会问题。⑬"

时间不早了，两个人来到公共汽车站，等着乘车回家。

二 生词 New Words 🎧

1. 以…为…		yǐ…wéi…	with…as…
2. 血统	（名）	xuètǒng	blood relationship

3.	比喻	（动，名）	bǐyù	figuratively describe as；analogy
4.	细胞	（名）	xìbāo	cell
5.	无数	（形）	wúshù	numerous, countless
6.	组成		zǔ chéng	to form
7.	人体	（名）	réntǐ	human body
8.	社会学	（名）	shèhuìxué	sociology
9.	…家		…jiā	-ist（as in "sociologist"）
10.	报告	（名，动）	bàogào	report；to report, to give a lecture
11.	题目	（名）	tímù	topic
12.	当前	（名）	dāngqián	at present
13.	是否	（副）	shìfǒu	whether or not, if
14.	指出		zhǐ chū	to point out
15.	结构	（名）	jiégòu	structure
16.	由	（介）	yóu	from
17.	仍然	（副）	réngrán	still
18.	之	（助）	zhī	of（a structural particle）
19.	减少	（动）	jiǎnshǎo	to decrease
20.	代	（名）	dài	generation
21.	平均	（形，动）	píngjūn	average；to average
22.	率		lǜ	rate
23.	对	（量）	duì	pair, couple
24.	比例	（名）	bǐlì	ratio
25.	达到		dá dào	to reach
26.	破裂	（动）	pòliè	to split, to break up
27.	单亲	（形）	dānqīn	single parent
28.	非	（副）	fēi	non-, un-
29.	婚生		hūn shēng	（child）born in wedlock
30.	子女	（名）	zǐnǚ	one's children
31.	由于	（连，介）	yóuyú	due to

32.	条件	（名）	tiáojiàn	condition
33.	成长	（动）	chéngzhǎng	to grow，to be brought up
34.	大多	（副）	dàduō	mostly
35.	犯罪		fàn zuì	to commit crimes
36.	道路	（名）	dàolù	road，way
37.	单身	（名）	dānshēn	single
38.	同样	（形）	tóngyàng	similar，equal
39.	对于	（介）	duìyú	to，for
40.	追求	（动）	zhuīqiú	to seek after
41.	自由	（形，名）	zìyóu	free；freedom
42.	自在	（形）	zìzài	carefree
43.	怎么办		zěnme bàn	what's to be done
44.	制定	（动）	zhìdìng	to lay down，to work out（a plan or policy）
45.	政策	（名）	zhèngcè	policy
46.	措施	（名）	cuòshī	measure，step
47.	相信	（动）	xiāngxìn	to believe
48.	步	（名）	bù	step
49.	解决	（动）	jiějué	to solve
50.	个人	（名）	gèrén	personal，individual
51.	存在	（动）	cúnzài	to exist
52.	事实	（名）	shìshí	fact
53.	根本	（副，形，名）	gēnběn	(not) at all；cardinal；base
54.	情形	（名）	qíngxíng	situation
55.	而	（连）	ér	(a particle used to connect two opposite parts)

三 功能 Functions

1. 转述（1）zhuǎnshù（1）

Report（1）

书面语中常用"a 指出……"来转述第三者的话语。转述的内容可以是原文，也可以是大意。

In writing，"指出……" is often used to report what a third person says. What is reported can be direct quotations or the general idea.

> a 指出，b_1，b_2…

（1）报告人<u>指出</u>，当前家庭结构的变化有四个特点：第一，家庭越来越小。第二，离婚率越来越高。第三，非婚生子女越来越多。第四，单身比例越来越大。

（2）这家报纸<u>指出</u>："现在，不少年轻人不想结婚。这些人对家庭和孩子不感兴趣，他们追求的是一种自由自在的单身生活。"

2. 范围（1）fànwéi（1）

Scope（1）

> 在 a 里，b（b_1，b_2…）

（1）<u>在</u>许多国家<u>里</u>，家庭结构都发生了很大的变化。

（2）<u>在</u>我们班<u>里</u>，想去中国留学的人很多。

（3）<u>在</u>一些国家<u>里</u>，每三对结婚的人中就有一对离婚的。

3. 罗列（1）luóliè（1）

Enumeration（1）

列举两个以上事实时，常用表示罗列关系的连接成分来表示。

Conjunctive elements are often used to list more than two things.

> ……第一，……第二，……第三，……第四，……

（1）当前家庭结构变化有四个特点：第一，家庭越来越小。第二，离婚率越来越高。第三，非婚生子女越来越多。第四，单身比例越来越大。

> ……一、……二、……三、……四、……

（2）申请到中国留学的办法是：

一、给你想去的学校写封信，要一份申请表。

二、把填好的表和你的毕业证书、成绩单、经济担保书等的复印件
　　寄给学校。

三、收到中国学校的录取通知书以后再去申请签证。

4. 数量增减 shùliàng zēngjiǎn

Increase and decrease of quantity

表示从某一数量增加到或减少到另一数量，有时原来的数量可以不说。

Sometimes the starting quantity may not be indicated in describing the exact change of quantity.

| …… （由/从 a） 增加到/为 b。 |

（1）最近十年来，单身家庭由 5% 增加到 32%，两口之家从 17% 增加
　　为 35%。

（2）听说在我们学校，学习中文的人数已增加到 200 人。

| …… （由/从 a） 减少到/为 b。 |

（3）近十年来，四口之家由 26% 减少为 12%；五口人以上的家庭从 37%
　　减少到 6%。

（4）从今年开始，我的奖学金减少到每个月 500 元。

5. 表述在不同的时间情况的变化 biǎoshù zài bùtóng de shíjiān qíngkuàng de biànhuà

Statement of changes in different periods of time

| a 前，……（b 前，……）现在（最近/今天……）…… |

（1）非婚生子女越来越多，十年前，有一个国家的非婚生孩子是 10%，
　　现在达到了 28%。

（2）五年前爸爸去过中国旅行，三年前妹妹去过中国短期留学，现在我
　　又要去中国留学。

（3）半年以前，我连一句汉语也不会说，现在我可以进行简单的会话了。

6. 表示原因和结果 (1) biǎoshì yuányīn hé jiéguǒ (1)

Cause and result (1)

| 由于 a（a_1，a_2……），b（b_1，b_2……） |

（1）由于非婚生孩子生活条件、成长环境都不太好，他们中的有些人走
　　上了犯罪的道路。

（2）由于天气不好，飞机晚点两个小时。

（3）由于我开车没系安全带，被警察发现了，所以罚了我十块钱。

7. 表述实情（1）biǎoshù shíqíng（1）

Describing the real situation（1）

承接上文，表示后面所说的话才是正确的或真实的。有修正或补充上文的作用。

As the connecter of the foregoing text it emphasizes that what follows is correct or true. It may modify or add a new argument to the previous one.

$$a（a_1，a_2……），事实上，b（b_1，b_2……）$$

（1）我不同意你的看法，事实上，不可能所有的人都不结婚、不要孩子。

（2）很多人都以为他是中国人，事实上，他不是中国人，而是日本人。

（3）好像是听懂了，事实上没有真正听懂。

四 注释 Notes

1. 家庭是以婚姻和血统关系为基础的社会单位

"以……为……"格式有"把……作为（当作）……""认为……是……"等意思，多用于书面语，"为"后可以是名词、动词，如果是形容词，一般表示比较。

"以……为……"，the same as "把……作为（当作）……"（regard...as...）or "认为……是……"（consider...as...），is mostly found in written language. "为" can be followed by a noun, a verb or an adjective, of which the last one often indicates a comparison.

例如 E.g. （1）他的父母以他为骄傲。

（2）这个学期我以学习中文为主，同时也学了一些别的课。

2. 有人把家庭比喻成社会的细胞

"成"可以做"把"字句中的结果补语。

"成" may be used as a resultative complement in a "把" sentence.

例如 E.g. （1）请把这些英语句子翻译成汉语。

（2）他把"力"字看成"刀"字了。

（3）你看，把他累成什么样子了！连饭都不想吃了。

3. 社会离不开家庭

这里动词"离"表示"分离"，"开"做可能补语。"离不开"即"不能分开"的意思。

The verb "离" means "to separate"，with "开" as its complement possibility. "离不开" is equal to "不能分开" in meaning.

4. 报告厅里坐得满满的

这里单音节形容词"满"重叠后加"的"做状态补语，说明动作的状态。

The reduplicated form of the monosyllabic adjective "满" followed by "的" functions as a complement of state，indicating a state in movement.

5. 四口之家由 26% 减少为 12%

"之"是古汉语遗留下来的结构助词，在这里"之"是"的"的意思。

"之" is equal to "的"，a structural particle from the classical Chinese.

6. 家庭平均人口由 4.2 人减少到 2.9 人

汉语小数的读法是：

The following decimals are read as：

    4.2   四点二

    2.9   二点九

7. 由于非婚生孩子的生活条件、成长环境大多不太好

连词"由于"常用于复句中的前一分句，表示原因，相当于"因为"，后一分句常有"所以""因此"等呼应。

Equal to "因为"，the conjunction of "由于" is an indicator of reason，and often appears in the first clause of a complex sentence. "所以" or "因此" is often used in the second clause.

例如 E.g.   （1）由于学习努力，他的汉语水平越来越高。

              （2）由于生活条件好，因此孩子们都长得很健康。

              （3）由于没有家庭和孩子，所以他们过得自由自在。

连词"因为"可以用于后一分句，而"由于"不能用在后一分句。

The conjunction "因为" can be used in the second clause，but "由于" cannot.

8. 他们中的有些人容易走上犯罪的道路

"上"这里用在动词后表示动作开始并继续下去。

"上" here is used after a verb to indicate the beginning and continuation of an action.

例如 E.g.   （1）刚吃完饭，他又看上书了。

              （2）那个病人不听大夫的话，又抽上烟了。

              （3）他刚休息了一会儿，怎么又忙上了？

9. 什么婚姻啊，家庭啊

疑问代词"什么"可用在几个并列成分前，表示列举。

The interrogative pronoun "什么" may be used before coordinate elements as a list of items.

例如 E.g. （1）什么唱歌呀，跳舞呀，他都喜欢。

（2）什么苹果啊，橘子啊，你都买一些。

10. 对于他们来说都是不重要的

介词"对于"用于表示人、事物、行为之间的对待关系。由"对于"组成的介词结构，可以用在主语后，也可以用在主语前。

The preposition "对于" indicates to what extent people，things or actions involved are significant to one another. The prepositional structure with "对于" may appear before or after the subject of the sentence.

例如 E.g. （1）对于婚姻、家庭问题，大家的看法不完全一样。

（2）对于来访问的客人，我们都表示欢迎。

"对于……来说"是强调所提出的论断、看法与相关的人或事物的关系，也可以用"对……来说。"

"对于……来说" or "对……来说" indicates how a judgment or point of view applies to the person or thing in question. "对……来说" can also be used.

例如 E.g. （3）对于孩子来说，最需要的是父母的关心和爱。

（4）对有些国家来说，十年来家庭平均人口已从 4.6 人减少到 3.8 人。

凡是用"对于"的句子都可以换用介词"对"。

"对于" used in a sentence can be replaced with "对" without exception.

11. 一个人吃饱了，全家都不饿

这是一句俗语，意思是一个人生活，没有家庭负担，非常自由。

It is a common saying，meaning that those who live by themselves have no family responsibilities，and therefore are carefree.

12. 但是，事实上，根本不可能有这种情形

方位词"上"这里指方面，前面常有介词"在"或"从"。

The locality word "上"，often with a foregoing preposition "在" or "从"，is used in a sense of "aspect".

例如 E.g. （1）在婚姻问题上，他提出了很多自己的看法。

（2）学习上，大家要互相关心、互相帮助。

13. 我觉得结婚、生孩子完全是个人问题，而不是社会问题

在"是……不是……"这个结构里，并列肯定和否定两个成分，以否定来衬托加强肯定。连词"而"在这儿有转折对比的作用。

In the structure of "是……不是……" both positive and negative arguments are given to enforce the former by the latter. The conjuction "而" is used here to show a transition or contrast.

例如 E.g.　（1）这个社会学家研究的是各国的离婚率问题而不是非婚生子女问题。

　　　　　　（2）我要买的是《汉英词典》而不是《英汉词典》。

五 词语例解 Word Study

1. 家

（名　noun）

（1）你家有几口人？

（2）丁文月今天不在家，她出去了。

（量　measure word）

（3）这家饭馆你来过没有？

（4）最近他在一家公司找到工作了。

（后缀　suffix）

（5）他从小就喜欢音乐，希望以后能成为音乐家。

2. 大概

（形　adjective）

（1）你给我们介绍一下儿学校的大概情况，好吗？

（副　adverb）

（2）这儿离医院大概10公里。

（3）六点半了，他大概回家了。

（4）这种毛衣大概不贵，你可以买一件。

3. 平均

（动　verb）

（1）上学期我们学了650个生词，平均每个星期学多少个？

（2）现在有些国家，家庭平人口只有3.2人。

（形 adjective）

（3）这七个班每班都有八个女同学，很平均。

4. 对

（动 verb）

（1）今天的篮球比赛是中文系对历史系。

（形 adjective）

（2）你说的意见都对，我同意你的看法。

（3）这个问题他回答得很对。

（4）今天的听写我全写对了。

（5）对，你给他打个电话，请他下午来一下儿。

（介 preposition）

（6）不少人对婚姻家庭问题不感兴趣，所以都不来听报告。

（量 measure word）

（7）这一对年轻夫妻是不久前结婚的。

5. 大多

（副 adverb）

（1）这些人我大多不认识，你认识他们吗？

（2）他家的人大多不抽烟。

（3）乔治的书大多是经济方面的。

六 阅读课文 Reading Comprehension

中国的家庭变化

　　历史上中国大家庭多，常常是几代人生活在一起，一家有十几口、甚至几十口人。但是，近几十年来，跟许多国家一样，中国的家庭结构也发生了很大的变化，那种几代人生活在一起的大家庭已经越来越少了。社会在变化，人们的观念也在变化。越来越多的人已认识到，重要的是提高生活质量，而不再是多子多福了。现在三口之家越来越多，特别是在城市。

最近十几年来，中国的经济发展很快，人们的生活水平也有了很大的提高。传统的婚姻观念受到冲击，离婚率也比以前高了。当前，在中国离婚率高的是城市，文化水平低的农村，离婚率也低。

在中国，不结婚就生孩子，是传统的道德观念不允许的。因此，现在的中国社会非婚生子女比较少。但由于离婚的人增多，单亲子女也增多了。单亲子女缺少父爱或母爱，这对他们的成长是不利的。因此，有的人为了孩子的健康成长，要等孩子高中毕业有了工作或上了大学再离婚。

在中国，离婚有两种办法。一种是男女双方先自己解决，达成协议后再办理离婚手续；一种是双方不能达成协议时，到法院去解决离婚的问题。

生词 New Words

1. 观念	（名）	guānniàn	idea，thinking
2. 质量	（名）	zhìliàng	quality
3. 多子多福		duō zǐ duō fú	the more children one has the happier one would be
4. 冲击	（动）	chōngjī	to strike，to pound
5. 道德	（名）	dàodé	morality
6. 允许	（动）	yǔnxǔ	to permit
7. 缺少	（动）	quēshǎo	to lack
8. 不利	（形）	búlì	disadvantageous
9. 达成	（动）	dáchéng	to reach
10. 协议	（名）	xiéyì	agreement
11. 办理	（动）	bànlǐ	to go through
12. 手续	（名）	shǒuxù	formalities
13. 法院	（名）	fǎyuàn	law court

第二课 爱情是幸福的吗
Lesson 2

一 课文 Text 🎧

关于①结婚、生孩子，丁文月和苏姗的看法尽管不同，但都觉得这个问题很有意思，②于是很自然地又谈到了婚姻和爱情的问题。

"爱情是幸福的。"丁文月说，"这是我家邻居一对老夫妇经常说的一句话。这对老人，男的叫李昌德，今年87岁，女的叫谢丽，今年84岁。

"谢丽常常对人说，人的一生不过几十年，作为一个女人，她非常渴望有一个幸福温暖的家。她和李昌德结婚60多年了，在几十年的共同生活中，两个人相亲相爱，互相关心。有时候李昌德因为工作忙，很晚才回家，谢丽也要等他回来一起吃饭。

"已经退休20多年的李昌德说，他很爱谢丽，从恋爱到结婚，他们没有吵过架。几十年来，他干过各种不同的工作，但从来没有在很远的地方工作过，为的是③夫妻天天都能见面。"

是的，对于李昌德和谢丽，爱情是幸福的。但是，对于别的人，爱情也同样意味着幸福吗？苏姗说了她一个表哥对爱情的看法。

13

她表哥是几年前结的婚。他是搞科学研究的，妻子是做生意的。对于一天到晚忙于④做生意的妻子来说，家仅仅是个休息的地方。由于工作不同，兴趣爱好不一样，两个人的共同语言少了，感情也渐渐发生了变化。面对这种现实，她表哥感到很痛苦。他想到过离婚，但是他对妻子还是有感情的，而且他觉得要是离婚，也很对不起岳父、岳母，因为两个老人把他当做自己的亲儿子一样对待。⑤他也曾经向妻子提出过离婚，她表示不同意，因为她也还爱着他。

正在他犹犹豫豫、十分痛苦的时候，一个纯真漂亮的姑娘爱上⑥了他，但是他很看重道德，没有接受姑娘的爱。他相信自己有力量改变家庭的现状。

经过几年的锻炼，妻子越来越坚强了。尽管她还爱着自己的丈夫，但她更看重自己的事业。丈夫只是一个学者，对她的生意不会有什么⑦帮助；而且，看到丈夫那么痛苦，她也感到自己对不起丈夫，对不起这个家，于是她流着眼泪跟丈夫分手了。

"爱情有时候会给人带来幸福，有时候又会给人带来痛苦。爱情的酸甜苦辣我都尝够⑧了。"离婚后，她表哥经常对人这样说。

丁文月、苏姗谈得正高兴的时候，一辆公共汽车到了，她们不得不结束了谈话。

二 生词 New Words 🎧

1. 关于	（介）	guānyú	about
2. 生（孩子）	（动）	shēng(háizi)	to give birth to a child
3. 尽管	（连，副）	jǐnguǎn	though；in spite of
4. 于是	（连）	yúshì	hence，thereupon
5. 自然	（形，名）	zìrán	natural；nature

6.	爱情	（名）	àiqíng	love（between man and woman）
7.	幸福	（形）	xìngfú	happy
8.	邻居	（名）	línjū	neighbour
9.	夫妇	（名）	fūfù	husband and wife
10.	一生	（名）	yìshēng	all one's life
11.	不过	（副）	búguò	only，no more than
12.	作为	（动）	zuòwéi	being...，as...
13.	渴望	（动）	kěwàng	to thirst for，long for
14.	温暖	（形）	wēnnuǎn	warm
15.	在…中		zài…zhōng	in，during
16.	共同	（形）	gòngtóng	mutual，with one another
17.	相亲相爱		xiāng qīn xiāng ài	to love one another
18.	有时候		yǒu shíhou	sometimes
19.	吵架		chǎo jià	to quarrel
20.	从来	（副）	cónglái	always
21.	意味着	（动）	yìwèizhe	to mean
22.	科学	（名，形）	kēxué	science；scientific
23.	于	（介）	yú	with，at
24.	仅仅	（副）	jǐnjǐn	only
25.	爱好	（名，动）	àihào	hobby；to love
26.	感情	（名）	gǎnqíng	feeling，affection
27.	渐渐	（副）	jiànjiàn	gradually
28.	面对	（动）	miànduì	to face
29.	现实	（名，形）	xiànshí	reality；real
30.	痛苦	（形）	tòngkǔ	painful，agonizing
31.	对不起	（动）	duìbuqǐ	be sorry for
32.	岳父	（名）	yuèfù	father-in-law
33.	岳母	（名）	yuèmǔ	mother-in-law
34.	当做	（动）	dàngzuò	to take...as

生活儿
口话

35.	亲	（形）	qīn	one's own（child）
36.	对待	（动）	duìdài	to treat
37.	曾经	（副）	céngjīng	once
38.	犹豫	（形）	yóuyù	undecided，hesitant
39.	纯真	（形）	chúnzhēn	pure
40.	看重	（动）	kànzhòng	to value
41.	道德	（名）	dàodé	morality
42.	力量	（名）	lìliàng	strength，ability
43.	改变	（动）	gǎibiàn	to change
44.	现状	（名）	xiànzhuàng	present situation
45.	能干	（形）	nénggàn	capable
46.	事业	（名）	shìyè	undertaking，career
47.	学者	（名）	xuézhě	scholar
48.	流	（动）	liú	to shed
49.	眼泪	（名）	yǎnlèi	tears
50.	分手		fēn shǒu	to separate，to divorce
51.	酸	（形）	suān	sour
52.	甜	（形）	tián	sweet
53.	苦	（形）	kǔ	bitter
54.	辣	（形）	là	hot，peppery
55.	不得不	（副）	bùdébù	cannot but，have to

专名 Proper Nouns

1.	李昌德	Lǐ Chāngdé	name of person
2.	谢丽	Xiè Lì	name of a person

三 功能 Functions

1. 引出话题（1）yǐn chū huàtí（1）

Bringing up a topic（1）

关于 a，b（b₁，b₂…）

（1）关于结婚、生孩子的问题，他们的看法不太一样，但都觉得讨论这个问题很有意思。

（2）我虽然学习中文，但是，关于中国我现在知道的还很少。

（3）关于这个问题，我们想听听马教授的看法。

2. 承接关系（1）chéngjiē guānxì（1）

Connective relation（1）

表示两件事在事理上有先后接续的关系，后一事往往是由前一事引起的。多用于书面语。

It is often used in written Chinese to indicate that of two sequentially connected things the latter is most likely caused by the former.

a（a₁，a₂…），于是，b（b₁，b₂…）

（1）关于要不要结婚、要不要孩子的问题，他们觉得很有意思，于是，又谈到了婚姻和爱情问题。

（2）丁文月没找到你，于是就自己去了。

3. 指代相同事物 zhǐdài xiāngtóng de shìwù

Referring to the same thing with different words

汉语篇章或话语中，根据表达的需要，作者或说话人常用不同的词语指代相同的人或事物，以避免不必要的重复。

For the convenience of writing or speaking, a writer or speaker may use different words to refer to the same person or thing，so as to avoid unnecessary repetition.

a（b₁）＝a（b₂）＝a（b₃）＝a（bx）

（1）谢丽和李昌德结婚后，两个人相亲相爱，在几十年的共同生活中，
　　　a(b₁)　　　　　　　a(b₂)

他们从没吵过架。
a(b₃)

（2）昨天下午，一位有名的社会学家来学校作报告，他讲的题目是"当
　　　　　　　a(b₁)　　　　　　　　a(b₂)

前的家庭问题"，这位社会学教授讲了当前家庭结构变化的四个特点。
a(b₃)

4. 范围（2）fànwéi（2）

Scope（2）

在 a 中，b（b₁，b₂…）

（1）在几十年的共同生活中，他们一直互相关心、互相帮助。

（2）我在采访中了解到，他先后去过中国八次。

（3）禁止在公园的湖中游泳。

5. 表示目的 bǎoshì mùdì

Indicating one's purpose

用"为的是 b"表示前面所说的某种行为的目的。

Use "为的是 b" to indicate the purpose of the action previously stated.

a（a₁，a₂…），为的是 b（b₁，b₂…）

（1）他干过各种不同的工作，但从来没在很远的地方工作过，为的是夫妻天天都能见面。

（2）我想去中国留学，为的是更好地学习汉语，更好地了解中国。

（3）丁文月说，她上午去了和平商场，又去了友谊商场，为的是给她爸爸买生日礼物。

6. 表示让步转折（1）biǎoshì ràngbù zhuǎnzhé（1）

Concessive transition（1）

先承认某个事实，然后再转到相反的或另外一个意思上。

The recognition of a fact is followed by an adversative statment.

尽管 a（a₁，a₂…），但是/可是 b（b₁，b₂…）

（1）尽管她还爱着自己的丈夫，但是她更看重自己的事业，于是她流着眼泪跟丈夫分手了。

（2）他尽管身体不好，可是仍然坚持工作。

书面语中，表示让步的分句也可以出现在后面，以表示对上文进行修正或补充，承认事情还有另外一面。

In written Chinese the concessive clause may appear after the main clause as a modifier or an additional argument to the previous statement.

a（a₁，a₂…），尽管 b（b₁，b₂…）

（3）他笔试的成绩总是不好，尽管他很努力。

（4）这个问题到现在也没有解决，尽管我们已经讨论了很多次。

四 注释 Notes

1. 关于结婚生孩子

介词"关于"表示关联、涉及的事物的范围或内容，由"关于"组成的介词结构可做定语和状语。做状语时多用于句首，可用逗号隔开。"关于……"也可用做文章、文件的标题。

The preposition of "关于" shows the range and content of the matter under discussion. A prepositional structure formed by "关于" may function as an attributive or an adverbial. As an adverbial it often appears at the beginning of a sentence, and can be separated from the rest of the sentence with a comma. "关于" can also be used in a title of an essay or a document.

例如 E.g. （1）关于少数民族问题，李教授作过一次报告。

（2）最近我看了一些书，有关于经济方面的，也有关于文化方面的。

（3）林达写了一篇《关于婚姻家庭问题》的文章。

"关于"和"对于"的区别

The difference between "关于" and "对于" in usage：

（一）"关于"是指出范围，表示关涉的人或事物；"对于"是指出对象，强调主观对待。在下面的句子中二者不能换用。

"关于" is used to indicate the range that a person or a thing can reach, while "对于" only points out the target in question with emphasis on personal reaction. In the following two sentences they cannot be exchanged.

例如 E.g. （1）关于考试的内容，老师在今天的课上没说。

（2）学唱新歌，对于妹妹来说是很容易的事。

（二）有时同一个句子二者都可以用，用"关于"是侧重说明在哪个范围或方面，用"对于"时是侧重于指出说明的对象。

Sometimes either "关于" or "对于" can appear in the same sentence as an alternative. In this case，"关于" is good to show the extent or aspect while "对于" is mainly used to indicate the target in question.

例如 E.g. （3）关于／对于老同学的情况，我知道的不多。

（4）关于／对于婚姻问题，大家都谈了自己的看法。

2. 丁文月和苏珊的看法尽管不同，但都觉得这个问题很有意思

连词"尽管"与连词"虽然"意思一样，表示让步，常用于复句中的前一分句，后面多有"可（是）、但（是）、还是、仍然"等呼应。

The conjunction "尽管"，which is equal to "虽然" indicating concession，often appears in the first clause of a complex sentence with either "可（是）"，"但（是）"，"还是" or "仍然" in the following clause.

例如 E.g. （1）尽管昨天下了雨，天气仍然很热。

（2）他尽管工作很忙，可还是每天坚持锻炼身体。

（3）尽管他还爱着妻子，但还是跟妻子离了婚。

3. 为的是夫妻天天都能见面

"为的是"引出的是说明目的的分句，意思是"目的是（为了）……"。

"为的是" here is used to introduce a clause of purpose，meaning "目的是（为了）……".

例如 E.g. （1）她学习这么努力，为的是能把汉语学得更好一些。

（2）政府制定这些政策，为的是单亲家庭能越来越少。

（3）他们这么做，为的是家庭能过上幸福的生活。

4. 对于一天到晚忙于做生意的妻子来说

介词"于"，常用于形容词、动词之后，表示方面、原因或目的。

The preposition "于" often follows an adjective or a verb to show aspect，reason or purpose.

例如 E.g. （1）她结婚后只满足于家庭的事情，完全放弃了事业。

（2）他的朋友死于交通事故。

（3）苏珊最近忙于学习，很少到这儿来。

5. 他想到过离婚[a]，但是他对妻子还是有感情的[b]，而且他觉得要是离婚[c]，也很对不起岳父、岳母[d]，因为两个老人把他当做自己的亲儿子一样对待。

汉语中，分句中包含着分句的复句称为多重复句。各分句之间大多由关联词连接。为正确理解全句的意思，可采用层次分析法，将全句按意义和语法关系由大到小进行切分。

A Chinese sentence containing clauses within clauses is known as a multiple complex sentence. Correlatives are often employed to link one clause with another. It is advisable to use a hierarchical analysis by which such a sentence can be divided according to the meaning and grammatical relation，so as to understand the whole sentence correctly.

例如 E.g.

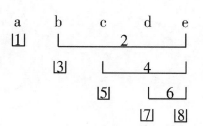

转折关系

1－2 adversative relation

递进关系

3－4 progressive relation

假设关系

5－6 hypothetical relation

因果关系

7－8 causal relation

6. 一个纯真漂亮的姑娘爱上了他

这里的"上"是引申用法，做结果补语，表示动作有了结果，有时表示达到一定的目的或标准。

Here "上" is used in an extended way as a resultative complement, indicating that something has been done and sometimes indicating that an aim or a standard has been reached.

例如 E.g. （1）他做生意挣了不少钱，还上了住房贷款。

（2）他们住上新房子了。

（3）弟弟考上大学了。

7. 对她的生意不会有什么帮助

代词"什么"这里是任指，表示在所说的范围内没有例外。

The pronoun "什么" here is used for unspecified reference, covering all situations without exception.

例如 E.g. （1）我没有什么意见，我同意这样做。

（2）今天她太累了，什么也不想做了。

（3）除了音乐以外，她什么爱好也没有。

8. 爱情的酸甜苦辣我都尝够了

动词"够"做结果补语表示达到某种数量或某种程度。

The verb "够" as a resultative complement indicates that a certain number has been obtained or an extent has been reached.

例如 E.g. （1）他这种话我听够了，你不要相信他。

（2）每天吃汉堡包，我都吃够了。

五 词语例解 Word Study

1. 不过

（副　adverb）

（1）我不过想去散散步，不想去买东西。

（2）这本词典不过10块钱，不贵。

（3）他学汉语不过一年，还不能看报纸、听广播。

（连　conjunction）

（4）他感冒了，不过不发烧。

（5）这个学生的口语不错，不过他的汉字写得不太好。

2. 曾经

（副　adverb）

（1）林教授曾经研究过京剧。

（2）这里曾经是一个小工厂，现在变成超市了。

（3）他曾经当过演员，后来做生意了。

3. 从来

（副　adverb）

（1）我父亲从来不抽烟。

（2）妹妹在学习上从来都是认真努力的。

（3）我从来没有听说过这样的事情。

4. 够

（动　verb）

（1）飞机票大概要三千多，你带的钱够不够？

（2）他睡了一天了，还没有睡够呢。

（副　adverb）

（3）还有三天，这些钱够花了。

（4）今天够冷的，咱们进去吧。

六 阅读课文 Reading Comprehension

中国的罗密欧与朱丽叶

古时候有个姑娘叫祝英台，17 岁了，又漂亮又聪明。她非常想念书。但在那个时候，女孩子到外地上学很难。为了能去上学，她想出了一个办法：打扮成男孩子，到杭州去念书。

在路上，她遇到了一个青年，他叫梁山伯，18 岁，也是到杭州念书的。两个人一边走一边谈，很快就成了好朋友。到了学校以后，他们就住在一起。在三年的学习生活中，两个人互相关心，互相帮助，感情越来越深。但是，梁山伯一直不知道祝英台是一个女的。

有一天，祝英台接到父亲的一封信，让她赶快回去。在离开学校以前，她告诉师母她是个女孩子，说她很爱梁山伯。

祝英台离开学校那一天，梁山伯送了她一程又一程，两个人都不想分开。在路上，祝英台多次向梁山伯暗示，她是个女孩子，但是梁山伯一点儿也不懂她的意思。他们看见一口井，两人来到井边，看到水里面年轻可爱的梁山伯和聪明漂亮的祝英台时，祝英台说："你看，咱们多么像一对夫妻啊！"梁山伯听完以后很不高兴。他说："你为什么把我当做女的？"祝英台请他别不高兴，并且说家里有一个妹妹，长得跟她完全一样，要是梁山伯喜欢，就快点儿到她家去求婚。梁山伯听了以后很高兴。

祝英台回到家以后才知道，父亲叫她回来是要她跟一个大官的儿子结婚。祝英台不同意，她一定要等着梁山伯。

祝英台走了以后，梁山伯非常想念她。他想等学完了以后就去看祝英台，并且向她妹妹求婚。有一天，师母把祝英台离开时说的话告诉了梁山伯。梁山伯听了以后，高兴极了，决定马上就去找祝英台。

来到祝英台家，祝英台流着眼泪告诉他，父亲要她跟一个大官的儿子结婚。梁山伯听了以后，非常痛苦，回到家里就病了。不久，就死了。

听到梁山伯死了的消息，祝英台哭了几天几夜。后来她不哭了。她对父亲说："我可以跟大官的儿子结婚，但是结婚那一天，花轿一定要经过梁山伯的墓地。不然，我对不起梁山伯。"父亲同意了。

结婚那天，花轿经过梁山伯墓地时，祝英台从花轿里走出来，跪在墓前大哭。一会儿，突然刮起了大风，下起了大雨。梁山伯的墓开了，祝英台马上跳了进去，墓很快又合上了。

风停了，雨也停了。墓地上都是鲜花，一对非常漂亮的蝴蝶在鲜花中自由地飞来飞去。

在中国，人们都知道梁山伯与祝英台这个故事。不少外国朋友看完电影《梁山伯与祝英台》以后，都说这是中国的罗密欧与朱丽叶。

生词 New Words

1.	聪明	（形）	cōngmíng	clever
2.	打扮	（动）	dǎban	to disguise; to dress up
3.	遇到		yù dào	to run into
4.	师母	（名）	shīmǔ	wife of one's teacher
5.	送	（动）	sòng	to see off
6.	分开		fēn kāi	to separate
7.	暗示	（动）	ànshì	to hint
8.	井	（名）	jǐng	well
9.	求婚		qiú hūn	to make an offer of marriage
10.	大官	（名）	dàguān	high-ranking official
11.	想念	（动）	xiǎngniàn	to miss
12.	花轿	（名）	huājiào	bridal sedan chair
13.	墓	（名）	mù	grave
14.	不然	（连）	bùrán	otherwise
15.	跪	（动）	guì	to kneel

16. 合　　　　（动）　　　hé　　　　　　to close

17. 蝴蝶　　　（名）　　　húdié　　　　butterfly

专名 Proper Nouns

1. 罗密欧　　　　　　Luómì'ōu　　　　　Romeo

2. 朱丽叶　　　　　　Zhūlìyè　　　　　　Juliett

3. 祝英台　　　　　　Zhù Yīngtái　　　　name of a person

4. 梁山伯　　　　　　Liáng Shānbó　　　name of a person

第三课 世界人口问题

一 课文 Text 🎧

　　吃过①晚饭以后，田中平和同屋一起看电视。在世界新闻节目中，有一条国际人口会议的消息引起了两个人的兴趣。于是他们就谈论起②了人口问题。

　　"世界上人口最多的国家是中国，世界上人口最多的城市也在中国吗？"同屋问。

　　"不。世界上人口最多的城市是日本东京，那儿的人口已超过三千五百万了。"

　　"刚才新闻说，现在世界人口是多少？"

　　"现在世界人口已经超过 65 亿了。"

　　"世界人口的增长速度太快了。我记得看过一份材料，第二次世界大战时，全球人口才 25 亿。60 年内增加了一倍多。"

　　"现在世界上每小时净增人口一万人。从我们看完电视到现在，世界上又多出来③了好几千人。"

　　"不得了！④不得了！真是不说不知道，一说吓一跳。⑤"

　　"世界人口专家预计，公元 2030 年全球人口将达到 85 亿，

2050 年突破 100 亿。专家们希望各国政府积极采取措施，制定人口政策，把 2050 年的人口控制在 78 亿。"

"由此看来，人口问题的确是个大问题。有时候想，生不生孩子，生几个孩子，这完全是个人的问题，别人管不着⑥，政府也管不着。"

"我以前也有过同样的想法。后来看了几篇文章，觉得这种想法不对。你想，一个人生下来⑦以后，就有吃、穿、住、教育、就业、医疗、养老、死亡等等一系列社会问题。这决不是个人所⑧能解决的。"

"是这样，据统计，现在全世界已经有几亿人失业或半失业。有些国家失业率已经达到 10% 以上，今后每年还有几千万人要就业。不想办法控制人口是不行的。⑨"

"没错儿。生产发展了，东西多了，可人口也多了，两者一抵消⑩，人们的生活水平等于没有提高。"

"道理上大家都容易接受，但是真正做起来⑪，困难很大。你想，全世界一百多个国家，各国生产发展水平不一样，人们受教育程度不一样，观念习俗不一样，做法哪⑫能都一样？"

"当然很难，否则就不会成为当今世界的一大社会问题了。"

"全世界最好能制定一个共同的政策，不管你是哪个国家的，每对夫妇都要生两个孩子，⑬多了不行，少了也不行。⑭多了要罚款，少了也要罚款。"

"你这个办法好，我选你当世界人口协会的主席。"

"我当主席，你当副主席，怎么样？"

"得了，得了。你别当主席了，我也别当副主席了。八点多了，今天的作业我还没做完呢。我还是先当学生吧！"

"我录音也还没听完呢。我听录音去了。"

二 生词 New Words 🎧

1.	会议	（名）	huìyì	conference
2.	谈论	（动）	tánlùn	to chat，to talk about
3.	超过	（动）	chāoguò	to exceed，more than
4.	增长	（动）	zēngzhǎng	to increase
5.	速度	（名）	sùdù	speed
6.	记得	（动）	jìde	to remember
7.	(全)球	（名）	(quán)qiú	(whole) globe
8.	内	（名）	nèi	inside，within
9.	净	（副）	jìng	completely
10.	不得了	（形）	bùdéliǎo	disastrous，how awful
11.	吓	（动）	xià	to frighten
12.	跳	（动）	tiào	to jump
13.	专家	（名）	zhuānjiā	expert
14.	预计	（动）	yùjì	to estimate
15.	公元	（名）	gōngyuán	the Christian era
16.	将	（副、介）	jiāng	will；to be going to（It also can be used as a preposition）
17.	突破	（动）	tūpò	to break through
18.	积极	（形）	jījí ·	active
19.	采取	（动）	cǎiqǔ	to adopt，to take
20.	控制	（动）	kòngzhì	to control
21.	的确	（副）	díquè	really，indeed
22.	别人	（代）	biéren	others
23.	想法	（名）	xiǎngfǎ	idea，opinion
24.	教育	（名，动）	jiàoyù	education；to educate
25.	就业		jiù yè	to take up an occupation
26.	医疗	（名）	yīliáo	medical treatment

27.	养老		yǎng lǎo	care for the aged
28.	死亡	（动）	sǐwáng	to die
29.	一系列	（形）	yíxìliè	a whole set of，series
30.	决	（副）	jué	definitely
31.	所	（助）	suǒ	(an auxiliary particle)
32.	据	（动）	jù	according to
33.	统计	（动）	tǒngjì	to collect information in numbers; statistics
34.	失业		shī yè	to be unemployed
35.	半(失业)	（数）	bàn(shīyè)	semi-（unemployment）
36.	今后	（名）	jīnhòu	from now on，hereafter
37.	者	（助）	zhě	(a particle used after a numeral to indicate things mentioned above)
38.	抵消	（动）	dǐxiāo	to offset，to counteract
39.	道理	（名）	dàolǐ	principle，sense
40.	程度	（名）	chéngdù	degree，extent
41.	观念	（名）	guānniàn	ideology，mentality
42.	做法	（名）	zuòfǎ	way of doing
43.	否则	（连）	fǒuzé	otherwise
44.	当今	（名）	dāngjīn	nowadays
45.	最好	（副）	zuìhǎo	It would be best...
46.	不管	（连）	bùguǎn	no matter，regardless of
47.	选	（动）	xuǎn	to elect，to choose
48.	当	（动）	dāng	to work as，to be elected for a post
49.	协会	（名）	xiéhuì	association
50.	主席	（名）	zhǔxí	chairperson，chairman
51.	副	（形）	fù	vice，deputy
52.	得了	（动）	déle	That's enough.
53.	录音	（名）	lùyīn	(sound) recording

专名 Proper Nouns

1. 东京　　　　　　Dōngjīng　　　　Tokyo
2. 第二次世界大战　Dì Èr Cì Shìjiè Dàzhàn　the Second World War

三 功能 Functions

1. 某时发生某事（1）mǒu shí fāshēng mǒu shì（1）

Time and occurrence（1）

(在/正在) a 时/的时候，b（b₁，b₂…）

（1）第二次世界大战时，全球人口才 25 亿。

（2）我在大学二年级时认识了他。

（3）你来的时候，你弟弟在家吗？

（4）我正在听录音的时候，李教授打来了电话。

2. 转述（2）zhuǎnshù（2）

Report（2）

书面语中转述第三者对某事物发展情况的预测。

A written report about a third person's prediction of the development of something can be given like this：

a 预计：b（b₁，b₂…）

（1）人口专家预计，公元 2030 年全球人口将达到 85 亿，2050 年将突破 100 亿。

（2）他预计：明年春天，这种衬衫将受到青年人的喜欢。

3. 表示某种情况即将发生（1）biǎoshì mǒu zhǒng qíngkuàng jíjiāng fāshēng（1）

Immediate occurrence（1）

表示某种情况或行为不久将发生。

This is the way to indicate something or an action that will take place soon.

a 将（要）b（b₁，b₂…）

（1）预计 2030 年全球人口将达到 85 亿，2050 年将突破 100 亿。

（2）足球比赛<u>将</u>在下午两点钟进行。

（3）马教授下个月<u>将要</u>去中国参观访问。

4. 推论 tuīlùn

Inference

用"由此看来"表示根据上文所说的情况可以推出下文所说的结论。多用于书面语。

"由此看来"，often used in written Chinese, indicates that the conclusion of the following can be drawn from the foregoing.

> a（a₁，a₂···）。由此看来，b（b₁，b₂···）

（1）人口增长的速度太快了，现在世界上每小时净增人口一万人，2030 年将达到 85 亿。<u>由此看来</u>，人口问题的确是个大问题。

（2）他说，面试通过的话就给我打电话，可是已经一个星期了，他也没来电话。<u>由此看来</u>，这次面试我没有通过。

5. 唤起注意（1）huànqǐ zhùyì（1）

Calling somebody's attention（1）

唤起听话人注意下文的分析和说明。

The way to call a listener's attention to the following analysis and explanation is：

> （a）你想（想），b（b₁，b₂···）

（1）<u>你想</u>，教育、就业和医疗等社会问题，都不是个人所能解决的。

（2）<u>你想想</u>，她知道晚会七点钟开始，现在已经八点半了，所以她肯定不会来了。

6. 连接两种相反的情况（2）liánjiē liǎng zhǒng xiāngfǎn de qíngkuàng（2）

Connecting two opposite sides of a matter（2）

用"否则"引出与上文相反的情况并加以阐述。

By using "否则" the opposite statement varying from the previous one can be given together with a further elaboration.

> a（a₁，a₂···），否则 b（b₁，b₂···）

（1）控制人口当然很难，<u>否则</u>就不会成为世界的一大社会问题了。

（2）天气预报说明天有小雨，我的意见是，要是下雨我们就不去了，<u>否则</u>就去。

（3）约翰上课去了，<u>否则</u>我们还要继续讨论下去。

7. 表示希望或建议 biǎoshì xīwàng huò jiànyì

Indicating one's hope and suggestion

用"最好 b"表示说话人的某种希望，或用于建议、劝告对方或第三者作出某种理想的选择。

"最好 b" can be used to express a speaker's hope，suggestion or advice about the listener or another person's choice.

a 最好 b（b₁，b₂···）

(1) 全世界<u>最好</u>能制定一个共同的政策：每对夫妇都只生两个孩子。

(2) 你想学汉语<u>最好</u>到中国去学。

(3) 你<u>最好</u>再找他谈谈，请他原谅。

(4) 请你告诉他<u>最好</u>别去了，那儿没什么意思。

四 注释 Notes

1. 吃过晚饭以后

动态助词"过"除了表示过去曾经有过某种经历外，还可以表示完成，可以和表示完成的"了"连用。

Apart from indicating one's experience，the aspect particle "过" also shows the completion of an action. It can be used with a completive "了".

例如 E.g. (1) 这种茶，他已经喝过了。

(2) 每天晚上他洗过澡就睡觉。

2. 于是两个人就谈论起了人口问题

这里的"起"是引申用法，用在动词后表示动作开始并继续，或表示动作关涉到某事物。

"起" after the verb is used in an extended way to indicate the beginning and continuation of an action，or something involved.

例如 E.g. (1) 大家谈起自己的兴趣、爱好，话就很多。

(2) 你们听，姑娘们唱起了中国民歌。

(3) 昨天张老师没有问起这件事。

3. 世界上又多出来了好几千人

这里的"出来"是引申用法，表示事物由隐蔽到显露，前面多为动词，也有用形容词的，有时候宾语要放在"出来"中间。

Here "出来" is also used in an extended way. It often comes after a verb or an adjective，indicating that something has changed from concealment to revealment. The object，sometimes，should be put between "出" and "来".

例如 E.g. （1）我要把这事情的经过写出来。

（2）我看出来了，她有点儿不高兴。

（3）工作忙也要注意休息，不要累出病来。

（4）健康的身体是锻炼出来的。

4. 不得了

这里"不得了"用于表示情况严重。"不得了"也可用做程度补语，表示程度深。

Here "不得了" means "serious" or "terrible". It can also serve as a complement of degree，denoting a high degree.

例如 E.g. （1）哎呀，不得了，他受伤了。

（2）听到这个消息，苏珊高兴得不得了。

（3）前几天这儿热得不得了，温度达到 40℃ 以上。

5. 不说不知道，一说吓一跳

这是一句俗语，意思是在没有听说某件事或某种情况以前，没有重视，一旦听说了就大吃一惊。

This is a common saying，meaning that one doesn't care much about what is beyond one's knowledge，but may feel greatly surprised when one is told about it.

6. 别人管不着，政府也管不着

动词"管"在这儿是过问、干涉的意思，"着"（zháo）做可能补语。"管不着"表示别人无权过问和干涉。

The verb "管" means "interfere" or "be concerned about". "着"（zháo）functions as a complement of possibility. "管不着" implies that having no right to interfere.

例如 E.g. （1）这是我个人的事，我怎么做别人管不着。

（2）离不离婚，你们两个人自己决定，别人管不着。

7. 一个人生下来以后

这里"下来"是引申用法，用在动词后表示动作完成，有时兼有脱离的意思。

The extended "下来" after a verb denotes the completion of an action. Sometimes it also means "away from".

例如 E.g. （1）房子租下来了，你们明天可以搬进去住了。

（2）孩子生下来以后，母亲身体一直不太好。

8. 这决不是个人所能解决的问题

这里的"所"是结构助词，多用于书面语。常用在及物动词前组成"名＋所＋动＋的"修饰名词。

Here "所" functions as a structural particle，mostly used in writing. When it comes before a transitive verb，"所" helps form a modifier of "noun＋所＋verb＋的" for a noun.

例如 E.g. （1）他所认识的人对他都很好。

（2）我所知道的情况就是这些。

"名＋所＋动＋的"也可以代替名词。

"noun＋所＋verb＋的" can be used as a substitute for a noun.

（3）这次报告所讲的都是人口问题。

上述这两项，口语中不用"所"，意思一样。

In spoken Chinese the above sentences would not change their meaning without the particle "所".

9. 不想办法控制人口是不行的

这里"不……不……"是复合句"如果不……，就不……"的紧缩结构，用于表达肯定的意思。

Here "不……不……" is a contracted structure of complex sentence "如果不……，就不……" to express positive meaning.

例如 E.g. （1）开车不系安全带不行。（开车必须系安全带。）

（2）中国人吃饭不用筷子不行。（中国人吃饭必须用筷子。）

（3）生病不去看医生不行。（生病必须去看医生。）

10. 两者一抵消，人们的生活水平等于没有提高

"一＋动词"表示经过某一短暂的动作就能得出后边的某种结果。

The structure "一＋verb" indicates that the latter stated result has come out of a quick action.

例如 E.g. （1）政府一采取措施，问题就解决了。

（2）我一说，你一定会高兴得不得了。

（3）大夫一检查，他真的是感冒了。

（4）这件事如果我一说，你一定吓一跳。

11. 但是真正做起来，困难很大

这里的"起来"是引申用法，用在动词后表示动作或情况开始并继续。如有宾语要放在"起来"中间。

The extended "起来" preceded by a verb expresses the beginning and continuation of an action. The object，if there is any，should be inserted between "起" and "来".

例如 E.g. （1）你们听，小朋友们唱起歌来了。

（2）他太累了，坐在椅子上就睡起觉来了。

（3）今天的讨论会来的人不多，讨论得起来吗？

12. 观念习俗不一样，做法哪能都一样

这里"哪"是副词，用在动词前，等于"哪儿"。副词"哪"用于反问句，表示否定。

The adverb "哪" that comes before a verb is equal to "哪儿". It is used in a rhetorical question for negation.

例如 E.g. （1）我不相信，哪有父母不爱孩子的？

（2）我不告诉她，她哪会知道？

（3）生产不发展，人们的生活水平哪能提高？

13. 不管你是哪个国家的，每对夫妇都要生两个孩子

连词"不管"表示在任何条件下结果都不会改变，后边常有"都、也"等呼应。

The conjunction "不管" which implies that the result will remain unchanged under any circumstances is often coherently connected with "都" or "也" in the following part of the sentence.

例如 E.g. （1）不管多么忙，他每天都要锻炼身体。

（2）不管有什么困难，大家都会帮助你。

（3）不管是英语还是汉语，她都说得很流利。

14. 每对夫妇都要生两个孩子，多了不行，少了也不行

"多了不行，少了也不行"意思是不能多也不能少。在这种句式中，前后两个词语的意思常常是相反的或相对的，表示"既不能……也不能……"，只能在一个适中的范围或限度内。

"多了不行，少了也不行" means both bigger or smaller numbers than expected are not allowed. In this type of patterns the foregoing and following words are often opposite or contrary in meaning. It has the same meaning as "neither... nor..." to indicate a moderate degree.

例如 E.g. （1）在城里开车，快了不行，慢了也不行。

（2）买东西太贵了不行，太便宜了也不行。

（3）这种药吃多了不行，吃少了也不行。

五 词语例解 Word Study

1. 过

（动　verb）

（1）过了这条街就能看到那座教堂。

（2）今年的圣诞节，你们是怎么过的？

（3）过了五点，邮局就关门了。

用在动词后做补语

Used after a verb as a complement

（4）我接过礼物后向他表示感谢。

（5）你回过头就看见了。

（助　particle）

（6）这个电影我看过，我觉得不太好。

2. 才

（副　adverb）

表示事情在不久前发生

Indicating that something took place not long ago

（1）丁文海才从中国回来不久。

表示数量少、程度低

Indicating a small number or a low degree

（2）他带的钱一共才20块，买不了那么多东西。

表示事情发生或结束得晚

Indicating that something took place or ended later than expected

（3）这篇文章写了一个星期才写完。

强调一定条件下发生

Indicating that it will be so only under certain conditions

（4）要多听多说，才能提高口语水平。

表示强调

Used for emphasis

（5）这才是我想要的那本书呢。

3. 多

（数　numeral）

（1）昨天来听报告的有 200 多人。

（形　adjective）

（2）今天的作业很多，我得赶快做。

（3）你应该多考虑考虑，然后再作决定。

（4）他的身体比以前好多了。

（动　verb）

（5）我这学期多了两门课。

（6）中文系今年的学生比去年的多 100 人。

4. 同样

（形　adjective）

（1）我是大夫，你也是大夫，我们做的是同样的工作。

（2）同样的一件事，大家的看法不一定都一样。

（3）去年有爬山比赛，今年同样有爬山比赛。

（4）他对人口问题感兴趣，同样，我对人口问题也很感兴趣。

5. 起来

表示起床

Indicating getting up from bed

（1）六点钟了，该起来了。

用在动词后，表示人或事物随动作由下向上

Used after a verb in a sense of "upwards"

（2）你站起来大声讲，大家才能听见。

用在动词或形容词后，表示动作或情况开始并且继续

Used after a verb or an adjective to indicate the beginning and continuation of an action

（3）听了他讲的故事，大家都笑了起来。

（4）我们这儿过了十月，天气就慢慢冷起来了。

（5）考试快到了，同学们又忙起来了。

用在动词后，表示动作完成或达到目的

Used after a verb to indicate that something has been completed or an aim has been achieved

（6）我想起来了，我们是五年前认识的。

（7）他可能把东西收起来了，一会儿你问问他就知道了。

六 阅读课文 Reading Comprehension

中国的人口情况

中国在历史上就是一个人口大国。明朝末年（1644年）中国人口就已经达到1亿左右。到了清朝，人口增加得更快，1834年就已达到了4亿，到清朝末年（1911年）中国已有5亿人口了。

1949年中华人民共和国成立时，人口已经达到5.4亿，是当时世界人口的四分之一。这以后由于社会的进步，人们的生活水平不断提高，人口迅速增长起来。在50多年的时间里，中国人口发生了很大的变化。第一，人口基数大，增长迅速。到1990年中国人口已达到11亿多，是1949年的两倍；2005年达到了13亿。1949～1957年和1962～1972年是中国人口增长最快的两个时期，人口平均出生率达到30‰以上。在这两个时期里，中国人口净增3亿多。1973年中国开始采取控制人口增长的措施。1973～1984年，中国人口增长得到了有效的控制。1975年人口平均出生率下降到23.13‰，1984年下降到19.90‰；人口自然增长率从1972年的26‰，下降到1984年的13.08‰，2005年下降到5.89‰。第二，农村人口比例大，但城市人口也在迅速增多。中国是农业大国，农村人口占80%左右。但是，近年来城市人口也在迅速增加。第三，东南部人口多，西北部人口少。中国的东部和南部人口占全国总人口的93.8%，西部和北部人口占全国的6.2%。中国是世界上人口密度较大的国家之一，人口密度是世界人口平均密度的3倍。第四，中国人口的素质越来越高，但总的来说水平不高。1949年中国人口的平均寿命在35岁左右，是当时世界上人口平均寿命最低的国家之一。由于经济的发展和人们生活水平的提高，中国人口的身体素质也越来越好。1957年中国人口的平均寿命是57岁，1981年达到67.88岁，1987年提高到69.05岁，2004年又提高到72岁。也就是说，50多年来中国人口的平均寿命提高了一倍多。文化素质也在迅速提高，1950年文盲率是80%，1990年下降到15.9%，2000年下降到6.72%。第五，中国是一

38

个多民族国家，全国共有 56 个民族，到 2005 年，汉族人口占全国人口的 90.56%，55 个少数民族占全国人口的 9.44%。少数民族人口比汉族人口增长得快。2000 年至 2005 年的五年间，汉族人口增加了 2355 万人，增长了 2.03%；各少数民族人口共增加了 1690 万人，增长了 15.88%。

生词 New Words

1. 成立	（动）	chénglì	to found，to establish
2. 当时	（名）	dāngshí	at that time
3. 以后	（名）	yǐhòu	later
4. 迅速	（形）	xùnsù	rapid
5. 不断	（副）	búduàn	continuously
6. 基数	（名）	jīshù	base
7. 时期	（名）	shíqī	period
8. 有效	（形）	yǒuxiào	effective
9. 下降	（动）	xiàjiàng	to drop
10. 自然	（形）	zìrán	natural
11. 占	（动）	zhàn	to account for
12. 密度	（名）	mìdù	density
13. 素质	（名）	sùzhì	quality
14. 寿命	（名）	shòumìng	life span
15. 文盲	（名）	wénmáng	illiterate
16. 少数民族		shǎoshù mínzú	ethnic minority

专名 Proper Nouns

1. 明朝	Míngcháo	the Ming Dynasty
2. 清朝	Qīngcháo	the Qing Dynasty
3. 中华人民共和国	Zhōnghuá Rénmín Gònghéguó	the People's Republic of China
4. 汉族	Hànzú	the Han nationality

但愿各国的老年人都有幸福的晚年

一 课文 Text 🎧

丁文月的哥哥去了中国。走之前，丁文月让哥哥到中国以后给她写信介绍他在中国的见闻。① 下面是她今天收到的电子邮件。

月妹：

你好！

来到北京已经一个多星期了。工作进行得很顺利，昨天已与有关单位签订了两份合同。今天晚上没有活动，给你写封信，谈点儿这几天的见闻吧。

离我们住的饭店不远的地方，有一个很大的公园，每天早晨我都去公园散步。我发现到公园锻炼身体的老人非常多。跳舞的、做操的、打太极拳的、练气功的，干什么的都有。他们大多是已经退休的工人、机关干部、知识分子。看样子，他们的退休生活过得很自在、很愉快。

有一天早晨，我跟一对刚练完迪斯科健美操的老夫妇谈了起来。退休前，男的是中学教师，女的是护士。两个人已经退休十来②年了。他们退休之后不用再天天忙于上班，自由的时间多了。两个孩子都结了婚，有了自己的小家庭。老两口儿每月有退休金，此外，两个孩子也经常给钱，他们生活得很好。除了早晨锻炼身体以外，男的还上老年大学③，学习中国画，女的在家养花、养鱼、看电视。星期天、节假日，儿子、儿媳妇、女儿、女婿带着他们的孩子来，大家在一起热热闹闹过一天。中国人向来有尊敬老人、孝顺父母的传统，④大家都很看重这种亲情和家庭欢乐。

当然也不是所有退休后的老人都能过上这种生活。听说，有些退休后的老人，有的身体有病，有的子女不孝顺，有的经济收入少，生活有困难。没有子女的老人，主要由⑤地方有关部门负责，各地办有⑥养老院，有的地方叫敬老院。

随着⑦社会的进步和医疗卫生事业的发展，人们的生活水平不断提高，世界上许多国家人们的平均寿命已达到或者超过 70 岁。"人生七十古来稀"⑧已成为过去。

由于人们平均寿命的延长，社会上老年人一年比一年多，⑨老年人人口占总人口 10% 以上的国家已有不少。他们为社会劳动了几十年，尽到了自己的责任。当他们失去劳动能力之后，他们的吃、穿、住、医疗、死亡如何解决呢？这是一个很大的社会问题。

月妹，我们都还年轻，很多老年人的问题我们还认识不到。老年人都很怕寂寞，很怕被社会遗弃。自从跟两位老人谈完以后，我心里一直在想，但愿⑩各国的老人都能有一个幸福的晚年！

好了，不多说了。我们明天去上海，下星期到广州。请替我向爸爸、妈妈问好！

顺便告诉你，你让我给你买的东西买到了，我想你会满意的。

　祝
身体健康！⑪

哥哥

4 月 21 日⑫

二 生词 New Words 🎧

1. 见闻	（名）	jiànwén	what one sees and hears
2. 电子邮件		diànzǐ yóujiàn	email
3. 下面	（名）	xiàmiàn	underneath，below
4. 顺利	（形）	shùnlì	smooth
5. 与	（介，连）	yǔ	with
6. 签订	（动）	qiāndìng	to sign（an agreement）
7. 合同	（名）	hétong	contract
8. （做）操	（名）	(zuò)cāo	(do) physical exercises
9. 打（太极拳）（动）		dǎ(tàijíquán)	to do（*taijiquan*）
10. 太极拳	（名）	tàijíquán	shadow boxing
11. 练（气功）	（动）	liàn(qìgōng)	to practise（*qigong*）
12. 气功	（名）	qìgōng	*qigong*
13. 机关	（名）	jīguān	organization
14. 干部	（名）	gànbù	cadre
15. 知识分子		zhīshi fènzǐ	intellectual
16. 看样子		kàn yàngzi	It seems...
17. 迪斯科	（名）	dísīkē	disco
18. 健美	（形）	jiànměi	vigorous and graceful
19. 之后	（名）	zhīhòu	after
20. 上班		shàng bān	to go to work
21. 老两口儿	（名）	lǎoliǎngkǒur	an old couple
22. 退休金	（名）	tuìxiūjīn	retirement pension
23. 此外	（连）	cǐwài	apart from that，besides
24. 老年	（名）	lǎonián	old age
25. 节假日	（名）	jiéjiàrì	festival，holiday

26.	儿媳妇儿	（名）	érxífùr	daughter-in-law
27.	女婿	（名）	nǚxu	son-in-law
28.	向来	（副）	xiànglái	always
29.	尊敬	（动）	zūnjìng	to respect
30.	孝顺	（动）	xiàoshùn	to show filial obedience
31.	亲情	（名）	qīnqíng	affection of kinship
32.	欢乐	（形）	huānlè	happy，joyous
33.	所有	（形）	suǒyǒu	all
34.	收入	（动，名）	shōurù	to receive；income
35.	地方	（名）	dìfāng	locality，place
36.	部门	（名）	bùmén	department
37.	负责	（动）	fùzé	to be responsible for
38.	养老院	（名）	yǎnglǎoyuàn	nursing home
39.	敬老院	（名）	jìnglǎoyuàn	home of respect for the aged
40.	随（着）	（动）	suí(zhe)	to follow
41.	进步	（动，形）	jìnbù	to progress；progressive
42.	卫生	（名，形）	wèishēng	health；healthy
43.	不断	（副）	búduàn	continuously
44.	寿命	（名）	shòumìng	life-span
45.	人生七十古来稀		rénshēng qīshí gǔ lái xī	since ancient times only a small number of people have lived as old as seventy
46.	过去	（名）	guòqù	past
47.	延长	（动）	yáncháng	to prolong
48.	占	（动）	zhàn	to account for
49.	劳动	（动）	láodòng	to labour；to work
50.	尽	（动）	jìn	to do（one's duty）
51.	责任	（名）	zérèn	responsibility，duty
52.	失去	（动）	shīqù	to lose

53.	如何	（代）	rúhé	how
54.	寂寞	（形）	jìmò	lonely
55.	遗弃	（动）	yíqì	to forsake
56.	自从	（介）	zìcóng	since
57.	但	（副）	dàn	only
58.	愿	（动）	yuàn	to wish
59.	晚年	（名）	wǎnnián	old age

三 功能 Functions

1. 书信结构 shūxìn jiégòu

Formation of letters

称呼（月妹/爸爸/李老师：……）

问候（你好/您好/你们好！……）

正文（1）谈及书信往来情况……

　　　（2）介绍自己的情况……

　　　（3）写此信的目的……

结尾（1）结束语：祝你愉快！……

　　　（2）落款：①姓名或身份：王小红/你的爸爸

　　　　　　　　　②时间：4月9日

2. 指称不确定的某个时间 zhǐchēng bú quèdìng de mǒu gè shíjiān

Indicating indefinite time

有一天（＋a），b（b₁，b₂…）

（1）有一天早晨，我跟一对中国老夫妇谈了起来。

（2）有一天，我在一家书店门口遇到了一位中学时的同学，我们已经十年没见面了。

（3）有一天晚上十点多钟，我突然肚子疼起来，正在这时我的同屋回来了，他给了我一些药吃。

3. 表示某时之后（1） biǎoshì mǒu shí zhīhòu（1）

After the time given（1）

a 之后，b（b₁，b₂…）

（1）他们辛勤劳动了一辈子，退休之后不用再天天忙于工作，自由的时间多了。

（2）听完报告之后，大家马上讨论了起来。

a 后，b（b₁，b₂…）

（3）来到北京后，我认识了很多中国朋友。

（4）下课后我在校门口等你。

4. 表示修正上文 biǎoshì xiūzhèng shàngwén

Amending the previous statement

表示修正上文所说的有些过分或不太全面的话，承认事情还有另外一面。

Amend the previous statement in which there are exaggerations and partial viewpoints in addition to the discovery of the other side of the matter.

a（a₁，a₂…），当然 b（b₁，b₂…）

（1）在中国，老年人退休后生活得很自在、很愉快。当然不是所有老年人都能过上这种生活。

（2）我们的汉语水平提高得很快，是老师们教得好，当然也是我们大家努力的结果。

（3）我不太想去，当然，如果大家都去，我也可以去。

5. 表示列举 biǎoshì lièjǔ

Enumeration

a，有的 b₁，有的 b₂，有的 b₃…

（1）退休后的老人情况也很不一样，有的身体不好，有的子女不孝顺，有的生活有困难。

（2）我们班的同学，有的去过中国，有的没去过，有的想去，有的不想去。

6. 表示后者伴随前者而出现 biǎoshì hòuzhě bànsuí qiánzhě ér chūxiàn

The latter accompanying the former

表示后一种情况是伴随前一种情况的出现而出现的。

It is with the former that the latter goes.

随着 a（a₁，a₂···），b（b₁，b₂···）

（1）随着社会的进步，人们的生活水平不断提高。

（2）随着年纪的增长，人的经验也在增长。

（3）随着中国经济的发展，学习汉语的人也越来越多。

7. 表达题外话 biǎodá tíwàihuà

Digression

说话人在表述完主要的内容以后，附带说几句与上文有关或无关的话。

After full expression of oneself, the speaker may say something relevant or irrelevant to this previous statement.

a（a₁，a₂···）。顺便告诉你，b（b₁，b₂···）

（1）顺便告诉你，你要的东西已经买到了，相信你会满意的。

（2）我已经替你请假了，请放心吧。顺便告诉你，下个星期学习新课，请你准备一下。

a（a₁，a₂···）。顺便说一下，b（b₁，b₂···）

（3）顺便说一下，我刚才说的是两年前的情况，这两年可能又有了新的变化。

（4）······顺便说一下，明天有个中国电影，有时间你们可以去看看。

四 注释 Notes

1. 丁文月让哥哥到中国以后给她写信介绍他在中国的见闻

这是一个兼语句套连动句的句式。"丁文月让哥哥（给她）写信"是兼语句，"哥哥（给她）写信介绍他在中国的见闻"是连动句。

This sentence is a pivotal sentence with verbal constructions in series. "丁文月让哥哥（给她）写信" is a pivotal sentence, and "哥哥（给她）写信介绍他在中国的见闻" a sentence with verbal constructions in series.

例如 E.g. （1）为了健康，父母要求孩子们每天去操场运动。

（2）今天没有人打电话找你。

（3）校长让我来找你谈一谈。

2. 两个人已经退休十来年了

"来"这儿是助词，表示概数，一般达不到那个数目。

Here "来" is a particle for an approximate number（generally smaller than the number indicated）.

例如 E.g. （1）他父亲五十来岁，身体很好。

（2）暑假里，他们用了十来天时间到南方旅行了一次。

（3）一双这种鞋大概要一百来块钱。

3. 男的还上老年大学

为了丰富退休老人的精神生活，中国各地方兴办了各种老年大学，开设符合老年人需要的课程，其中绘画、书法、写作深受欢迎。

To enrich the spiritual life of retired people，various types of universities for the aged have been established all over China. The well-received ones among all the courses are painting，calligraphy and writing.

4. 中国人向来有尊敬老人、孝顺父母的传统

中国人的传统道德观念之一是"孝"，主要内容是子女、晚辈对待父母、长辈一要尊敬，二要顺从，所以"孝"也说成"孝顺"，三要赡养。历史上儒家提倡"孝"对维护家庭和睦、保证社会安定起了一定的作用。至今中国人仍把"孝"视为传统美德之一。当然现在子女对父母不再是绝对地服从，而是相互尊重，平等相待。

Filial piety is an important part of Chinese traditional morality with which the younger generation should respect their parents and senior members of the family，show filial obedience to them （therefore "孝" is also said as "孝顺"）and support them when they are old. The filial piety advocated by the Confucianists in history contributed to maintaining family harmony and social stability. To this day Chinese people still regard filial piety as a virtue. Of course filial obedience is now understood as mutual respect and equality among the family members rather than absolute submission of the sons and daughters to their parents.

5. 主要由地方有关部门负责

这里"由"是介词，用于引进施动者，跟名词、代词组合。

As a preposition here "由" together with a noun or pronoun introduces the doer.

例如 E.g. （1）这项工作由你负责。

（2）公司的情况由张经理向大家介绍。

（3）明天去不去，由你决定。

6. 各地办有养老院

表示存在的"有"，有时和前面的动词结合得很紧，类似一个词。

Sometimes "有" indicating "existence" is closely linked with a forgoing verb like one word.

例如 E.g. （1）护照上写有姓名、性别、国籍、出生年月等。

（2）现在很多城市都办有老年大学，不少课程很受老年人的欢迎。

7. 随着社会的进步和医疗卫生事业的发展

这里"随"是动词，常带"着"和宾语，在句中做状语。

The verb "随" here often takes "着" to form an adverbial with the object.

例如 E.g. （1）随着经济收入的增加，人们的文化生活也越来越丰富。

（2）随着汉语水平的提高，我们已经能听懂一些中文广播了。

8. "人生七十古来稀"已成为过去

这是唐代（公元 618～907）大诗人杜甫（公元 712～770）《曲江》诗中的一句。意思是：七十岁的人自古以来就不多见。古时候人的平均寿命比现在短，所以能活到七十岁就很了不起了。

This is a line from the poem entitled *Qujiang* by the great poet Du Fu（712～770）of the Tang Dynasty（618～907），meaning it had been rare to see people of 70 years old since ancient times. In ancient China，the average life span of people was much shorter than nowadays.

9. 社会上老年人一年比一年多

"一＋量词＋比＋一＋量词"，表示程度在加深。

The structure of "一 + measure word + 比 + 一 + measure word" indicates an increasing degree in the course of progress.

例如 E.g. （1）我们的中文一天比一天进步。

（2）这些姑娘们一个比一个漂亮。

（3）他们表演的节目一个比一个精彩。

10. 但愿各国的老人都能有一个幸福的晚年

"但愿"多用于表示希望、祝愿。

"但愿" is commonly used to express one's hope and wish.

例如 E.g. （1）但愿这次能顺利签订合同。

（2）但愿这次比赛我们队能赢他们。

（3）但愿你们能早日过上幸福的生活。

11. 祝
.

身体健康
. . . .

这是中文信结尾的常用格式。"祝"和"身体健康"要分开两行写，"身体健康"要顶格。

This is a common ending of a Chinese letter. "祝" and "身体健康" should be written separately with the latter at the beginning of the following line.

12. 4 月 21 日

中文信写信时间要放在写信人的后面。

In a Chinese letter the date should be written after the name of the writer.

五 词语例解 Word Study

1. 来

（动　verb）

（1）今天除了约翰以外，别的人都来了。

（2）王老师明天来学校，你有事可以去找他。

（3）请来一杯咖啡！

（4）大家自己来，不要客气。

（5）我来介绍一下儿，这是我表哥。

（6）他带照相机来了。

（7）小张给我送来了两本杂志。

（助　particle）

（8）昨天参加会议的有 20 来人。

（方位　locality word）

（9）半年来，他学习进步很大。

2. 经常

（形　adjective）

（1）不吃早饭就去上课，对他来说，这是经常的事。

（副　adverb）

（2）星期六晚上，我经常不在家。

（3）他经常去阅览室看中文报纸。

3. 上

（动　verb）

（1）时间到了，大家上车吧。

（2）孩子们都上学去了，家里只有我一个人。

用在动词后做补语

Used after a verb as a complement

（3）我把门和窗户都关上了。

（4）大家别忘了，请写上自己的名字。

（5）今年他买上房子了，你呢？

（6）大夫让你休息，你怎么又看上书了。

（方位　locality word）

（7）桌子上放着一些水果。

（8）社会上单亲家庭越来越多，这是一个社会问题。

（9）事实上，这个问题还没有解决。

（10）上星期他带着孩子回他母亲家了。

4. 由

（动，听任　verb，"as one likes"）

（1）相信不相信由你。

（介　preposition）

（2）这些问题由系主任来解决。

（3）社会是由家庭组成的。

（4）办公楼由此往东，请大家注意！

（5）这个国家老年人口的比例已经由9％增加到11％了。

（6）别走那条路，由这条路走近多了。

5. 过去

（名　noun）

（1）我们俩过去是同学，现在是好朋友。

（2）过去的事别提了，说说现在的情况吧。

（动　verb）

（3）他刚从这儿过去。

（4）你过去看看，对面商店开门了没有？

（5）大家快点儿，汽车开过去了。

六 阅读课文 Reading Comprehension

人生的第二个春天

1982年联合国召开了"老龄问题世界大会"。在这次大会上，通过了《老龄问题行动计划》。

世界上许多国家人口由成年型过渡到老年型，一般要经过50～80年的时间，可是中国只用了18年。为什么时间会这么短呢？一是由于经济发展，人们的生活水平普遍提高了；二是卫生医疗条件改善了，人口死亡率由1949年以前的20％减少到6％，平均寿命已由旧中国的35岁提高到70岁，上海已经达到75岁；三是由于实行计划生育，人口得到了有效的控制。80年代和70年代相比，平均人口出生率由24‰减少到19.73‰，于是老年人口比例自然就增加了。现在中国的老年人口已占世界老年人口的21％。

为了领导这项工作，中国成立了"中国老龄问题全国委员会"。经过几年的努力，全国98％的市、86％的县、66％以上的乡镇、街道都成立了老龄问题委员会。"中国老龄问题全国委员会"还出版了《中华老年报》《中国老年》等杂志和画报，成立了老龄科学研究中心。电视上经常有各种为老年人所喜欢的节目，其他的报纸杂志上也常有不少有关老年问题的文章。现在50％以上的农村都成立了老年人协会。老龄委员会、老年人协会、电视台、报纸杂志等等，他们的工作都是为了让全国的老年人"老有所养""老有所医""老有所学""老有所乐"。现在从城市到农村，到处都有"老年活动中心""老年活动站"，老人们可以在那里学习、娱乐、锻炼，他们不再感到寂寞。很多老人说：我们没有被社会遗弃，相反的，进入老年是我们人生第二个春天的开始。

生词 New Words

1. 召开	（动）	zhàokāi	to convene
2. 老龄	（形）	lǎolíng	old age
3. 行动	（名，动）	xíngdòng	action；to act
4. 成年	（名）	chéngnián	adult
5. …型		…xíng	type
6. 过渡	（动）	guòdù	to transit
7. 普遍	（形）	pǔbiàn	general
8. 改善	（动）	gǎishàn	to improve
9. 实行	（动）	shíxíng	to practise
10. 计划生育		jìhuà shēngyù	family planning
11. 领导	（动，名）	lǐngdǎo	to lead；leader
12. 乡镇	（名）	xiāngzhèn	villages and towns
13. 出版	（动）	chūbǎn	to publish
14. 中心	（名）	zhōngxīn	centre
15. 其他	（代）	qítā	other
16. 娱乐	（动，名）	yúlè	to entertain；recreation
17. 相反	（形，连）	xiāngfǎn	contrary
18. 人生	（名）	rénshēng	life

专名 Proper Nouns

1. 联合国	Liánhéguó	the United Nations
2. 中国老龄问题全国委员会	Zhōngguó Lǎolíng Wèntí Quánguó Wěiyuánhuì	Chinese National Committee for the Aged
3. 《中华老年报》	Zhōnghuá Lǎoniánbào	*Chinese Aged People's Daily*
4. 《中国老年》	Zhōngguó Lǎonián	*Chinese Aged People*

第五课 Lesson 5 什么是男女平等

一 课文 Text 🎧

"妇女解放""男女平等""尊重妇女"这些口号不知喊了多少年了[①]，然而，现实生活又是怎么样的呢？人们的认识都一样吗？我们来听听林达、约翰他们是怎么说的：

"你觉得现在社会做到男女平等了吗？"林达问约翰。

"早就平等了。"

"不见得吧。你谈点儿具体的。"

"谈具体的就[②]谈具体的。拿近的来说，[③]我们几个人，有男的，有女的，现在在一起讨论问题，谁[④]都可以谈自己的看法，这不是平等吗？我们班十几个人，男女差不多各一半；教我们的六个老师，四个是女的，两个是男的。拿远的来说，世界上女国王、女总理、女部长、女议员、女科学家、女经理，多的是[⑤]。"

"你说的都是事实。但这只是事情的一方面，事情的另一方面是，[⑥]很多国家和地区，妇女仍然受到歧视和虐待。不久前，我看到一份材料，占世界人口一半的妇女，做着世界上三分之二[⑦]的工作，得到的收入却[⑧]只占世界收入的十分之一。"

"你这些材料是从哪儿来的，可信吗?"田中平听完林达说的数字立即提出了疑问。

"当然可信，是联合国几年前统计的数字。"林达回答。

"我这儿也有个数字，有个国家，女的就业人数比男的多，全国中学校长和老师，也是女的比男的多。这够平等的了吧。"约翰说。

听完约翰的话，苏姗也插进来说："我也看过一份材料，有的国家至今妇女什么权利也没有，连结婚、生孩子的权利也不在自己的手里⑨。有的国家妇女参加工作非常难，接受教育的机会也很少，因此，女部长、女科学家自然也就不可能有。据说，有个国家，一位女教师结婚以后，要求保留自己原来的姓，不用丈夫的姓。但是，学校、社会不允许她这样做，她告到法院，结果被驳回。"

"大家别说世界上的事儿了。世界那么大，情况千差万别。咱们谁也说不清楚。像这样，你拿一个正面例子来证明，我拿一个反面例子来反驳，我看永远也讨论不出一个结果来。⑩再说⑪，什么叫男女平等呢? 我们自己搞清楚了没有? 是不是有一个男科学家就得有一个女科学家，有一个男部长就得有一个女部长? 恐怕也不是吧。当然，我也同意联合国一份报告中说的这样一句话：没有任何⑫一个国家能做到像对待男人一样地对待女人。"听完大家的争论，丁文月像作总结似的说。⑬

林达接着说："由于种种原因，妇女要得到跟男人一样的地位必须付出更大的代价。"

"这样说我同意。"约翰、田中平异口同声地说。

林达、约翰他们讨论了半天，认识一致了吗? 当然不可能。他们以后的认识会一致吗? 天晓得⑭!

二 生词 New Words 🎧

1. 妇女	（名）	fùnǚ	woman
2. 解放	（动）	jiěfàng	to liberate
3. 平等	（形）	píngděng	equal
4. 尊重	（动）	zūnzhòng	to respect
5. 口号	（名）	kǒuhào	slogan
6. 喊	（动）	hǎn	to shout
7. 然而	（连）	rán'ér	however
8. 不见得	（副）	bújiànde	not quite so；It doesn't seem right…
9. 具体	（形）	jùtǐ	concrete
10. 拿…来说		ná…lái shuō	take
11. 国王	（名）	guówáng	king
12. 总理	（名）	zǒnglǐ	premier
13. 部长	（名）	bùzhǎng	minister
14. 议员	（名）	yìyuán	member of parliament，congressman
15. 另	（副）	lìng	another；the other
16. 地区	（名）	dìqū	district，area
17. 受	（动）	shòu	to suffer from
18. 歧视	（动）	qíshì	to discriminate against
19. 虐待	（动）	nüèdài	to maltreat
20. 却	（副）	què	but，yet
21. 可信	（形）	kěxìn	believable，reliable
22. 数字	（名）	shùzì	figure，statistics
23. 立即	（副）	lìjí	at once，immediately
24. 疑问	（名）	yíwèn	doubt，question
25. 插	（动）	chā	to interpose（a remark）
26. 至今	（副）	zhìjīn	to this day，up to now

27.	权利	（名）	quánlì	right
28.	因此	（连）	yīncǐ	therefore，hence
29.	保留	（动）	bǎoliú	to keep，to retain，to reserve
30.	允许	（动）	yǔnxǔ	to allow
31.	告	（动）	gào	to bring a lawsuit against someone
32.	法院	（名）	fǎyuàn	law court
33.	驳回	（动）	bóhuí	to reject
34.	千差万别		qiān chā wàn bié	to differ in thousands of ways
35.	正面	（名）	zhèngmiàn	the positive side
36.	例子	（名）	lìzi	example
37.	证明	（动）	zhèngmíng	to prove，to certify
38.	反面	（名）	fǎnmiàn	the negative side
39.	反驳	（动）	fǎnbó	to refute
40.	永远	（副）	yǒngyuǎn	always, forever
41.	再说	（连）	zàishuō	what's more，besides
42.	恐怕	（副）	kǒngpà	perhaps
43.	任何	（代）	rènhé	any
44.	对待	（动）	duìdài	to treat
45.	争论	（动）	zhēnglùn	to argue
46.	总结	（动，名）	zǒngjié	to sum up; summary
47.	…似的	（助）	…shìde	just like
48.	原因	（名）	yuányīn	reason, cause
49.	地位	（名）	dìwèi	position
50.	付出	（动）	fùchū	to pay
51.	代价	（名）	dàijià	price, cost
52.	异口同声		yì kǒu tóng shēng	with one voice
53.	一致	（形）	yízhì	unanimous，identical
54.	天	（名）	tiān	day
55.	晓得	（动）	xiǎode	to know

专名 Proper Noun

联合国　　　　　　Liánhéguó　　　　　　the United Nations

三 功能 Functions

1. 表示语意转变biǎoshì yǔyì zhuǎnbiàn

Transition

用"然而"引出与上文相对立的意思，或限制、补充上文的意思。

What is opposite, modificatory or additional to the previous statement can be given by using "然而".

a（a₁，a₂…），然而 b（b₁，b₂…）

（1）"男女平等"的口号喊了很多年，<u>然而</u>，现实生活中并没有做到男女平等。

（2）我虽然学了两年汉语，<u>然而</u>听和说的能力还很差，主要是没有语言环境。

（3）他还爱着妻子，<u>然而</u>妻子已经不爱他了。

2. 客气地否定对方的说法（1） kèqi de fǒudìng duìfāng de shuōfǎ（1）

Polite refutation（1）

a（a₁，a₂…）。不见得吧。（b₁，b₂…）

（1）"我觉得现在社会早就男女平等了。"

　　"<u>不见得吧</u>。你能谈得具体点儿吗？"

（2）"只要自己努力，就能学好汉语。"

　　"<u>不见得吧</u>。学习方法、学习环境等也很重要。"

（3）"从恋爱到结婚，十几年他们没有吵过架。"

　　"<u>不见得吧</u>。"

3. 举例说明（1） jǔ lì shuōmíng（1）

Illustration with examples（1）

a（a₁，a₂…）。拿……来说，b（b₁，b₂…）

（1）我认为现在社会已经做到男女平等了。<u>拿近的来说</u>，我们现在有男

的、有女的在一起讨论问题，这不是男女平等吗？拿远的来说，世界上女国王、女部长、女科学家多的是。

（2）不同的人，学习汉语的目的也不同，拿我来说，学汉语是为了学习中国经济。

4. 从两个不同的方面来说明 cóng liǎng ge bùtóng de fāngmiàn lái shuōmíng

Two-sided explanation

> a…，这只是（b 的）一（个）方面，（b 的）另一（个）方面 c…

（1）你说的都是事实，但这只是事情的一方面。事情的另一方面是，很多国家和地区，妇女仍然受到歧视和虐待。

（2）考试成绩好，这只是一个方面，另一方面还要看他的实际能力怎么样。

> a（a_1，a_2…）。一方面 b（b_1，b_2…），另一方面 c（c_1，c_2…）

（3）我现在还不想去留学。一方面我还没有申请到奖学金；另一方面有两门专业课还没学完。

（4）表哥感到很痛苦，一方面他想到过跟妻子离婚，另一方面他觉得要是离婚，会很对不起岳父和岳母，因为两个老人很喜欢他。

5. 引出结论或结果（1）yǐnchū jiélùn huò jiéguǒ（1）

Conclusion or result（1）

> a（a_1，a_2…）。因此，b（b_1，b_2…）

（1）有的国家妇女参加工作非常难，接受教育的机会也很少，因此，女总理、女部长自然也就不可能有。

（2）由于他每天都坚持学习三个小时的外语，因此，他进步得相当快。

6. 用人称代词表示虚指 yòng rénchēng dàicí biǎoshì xūzhǐ

Indefinite reference of personal pronouns

人称代词"你""我"在一定的语言环境里，可以不确指哪一个人，而用于虚指。

In a certain context personal pronouns such as "我" and "你" can be used to make indefinite reference.

> 你 a（a_1，a_2…），我 b（b_1，b_2…）

（1）你拿一个正面例子来证明，我拿一个反面例子来反驳，我看永远也讨论不出一个结果来。

（2）老师提出这个问题以后，大家你看看我，我看看你，谁也不说话。

（3）同学们你一句，我一句，提了很多意见。

7. 表示进一步说明（1）biǎoshì jìnyíbù shuōmíng（1）

Further explanation（1）

用"再说"引出新的情况（理由）进一步加以说明。

A further explanation or new argument may be given by "再说".

a（a₁，a₂···），再说，b（b₁，b₂···）

（1）这样讨论不出结果来，再说，什么是"男女平等"恐怕我们还没有搞清楚呢。

（2）我没有通知他，通知了他，他也不一定来，再说，我现在也没有他的电话号码。

（3）假期我有很多事，再说我也没有钱，因此暑假我不想去旅行。

四 注释 Notes

1. "妇女解放""男女平等""尊重妇女"这些口号不知喊了多少年了

"不知（道）＋动＋多少······"这一结构常用来强调数量极多。

The structure of "不知（道）＋动＋多少······" is often used to mean "a great number of".

例如 E.g. （1）王老师不知找了你多少次了，你在哪儿呢？

（2）这些生词我不知写过多少遍了，但还是常常写错。

（3）学费问题学校不知讨论过多少次了，至今也没有一个结果。

2. 谈具体的就谈具体的

"A就A"这种副词"就"前后重复同一词语的结构常用于表示所谈论的事物可以接受，没有关系。

The adverb "就" can connect one word or phrase with its reduplicated form in such a pattern as "A就A"，implying that the statement can be accepted or does not matter too much.

例如 E.g. （1）词典没买到就没买到吧，先用我的。

（2）说就说，怕什么？我知道的就这些。

（3）离婚就离婚，离完婚也就自由了。

3. 拿近的来说

"拿……来说"这一结构用于以具体事例说明某一事物或某一情况。

The structure of "拿……来说" is used to illustrate something with concrete instances.

例如 E.g.　**(1)** **拿**这个城市**来说**吧，单亲家庭已占家庭总数的 30%。

(2) **拿**这次考试**来说**，同学们的成绩都不错。这说明只要努力学习就能学好。

(3) **拿**我**来说**吧，一上大学就开始打工。

4. 谁都可以谈自己的看法

疑问代词"谁"在这里表任指，"任何人"的意思，后边常与"都、也"连用。

The interrogative pronoun "谁" is used for indefinite reference，meaning "anybody"，often with a coherent "都" or "也" in the following part of the sentence.

例如 E.g.　(1) 谁都没有权利这样做。

(2) 男女平等问题，我看谁也说不清楚。

(3) 谁都希望能有一个幸福的家庭。

5. 世界上女国王、女总理、女部长、女议员、女科学家、女经理，多的是

"多的是"一般用做谓语，强调多，有时也可以说"有的是"，多用于口语。

"多的是"，or sometimes "有的是"，generally functions as a predicate in spoken Chinese，meaning "there's a great number of. . .".

例如 E.g.　(1) 由于家庭环境不好走上犯罪道路的，多的是。

(2) 图书馆里的中文书有的是。

(3) 每天早上公园里跑步的、做操的多的是。

6. 但这只是事情的一方面，事情的另一方面是

"一方面……（另）一方面……"这一结构用于连接两个并列的词语或分句，表示同一事物并存的两个方面，或互相关联或互相对立的两种事物。后一个"一方面"前可以加"另"。

The structure of "一方面……（另）一方面……" is used to connect two coordinate phrases or clauses that describe two aspects of a matter, or two related or opposite things. "另" may be added before the second "一方面".

例如 E.g.　(1) 要想学好汉语，一方面要多听多说，另一方面要多读多写。

(2) 学生要努力学习，这是问题的一方面，问题的另一方面是，老师也应该认真准备，认真上课。

（3）制定好各种交通规则，这只是事情的一方面，事情的另一方面是，开车的人也要认真遵守交通规则，这样才能减少交通事故。

7. ……妇女，做着世界上三分之二的工作

汉语中分数的表示是："分之"前的是分母，后面的是分子。

To indicate a Chinese decimal the denominator written goes before "分之" while the numerator after it.

例如 E.g.

四分之一——1/4　　　　百分之三十五——35/100

十分之九——9/10　　　　千分之六——6/1000

8. 得到的收入却只占世界收入的十分之一

副词"却"表示转折，只能用在主语后，多用于书面。

The adverb "却" only goes after the subject，and mostly used in writing as an adversative.

例如 E.g.　（1）我们虽然是第一次见面，却像老朋友一样。

（2）已经是冬天了，但天气却不怎么冷。

（3）子女应该孝敬父母，可是有些子女却虐待父母。

9. 连结婚、生孩子的权利也不在自己的手里

"（不）在自己手里"表示自己（没）有权力支配某事。

"（不）在自己手里" means that something is beyond one's control.

（1）学什么专业的权利在我自己手里。

（2）决定谁能参加比赛的权利不在我手里，也不在老李手里。

10. 我看永远也讨论不出一个结果来

这里的"出来"是引申用法，用在动词后表示人或事物随动作从无到有，从隐蔽到显露，如有宾语，多放在"出来"之间。（参见第 3 课注释 3）

"出来" is used in an extended way here. When it goes after a verb，it indicates that a person or thing appears from being unknown or hidden as an action progresses. The object，if any，should be inserted between "出" and "来".

例如 E.g.　（1）那些问题你能回答出来吗？

（2）这个人是谁，我没有立即认出他来。

（3）时间不多了，大家能想出办法来吗？

11. 再说，什么叫"男女平等"呢

连词"再说"表示推进一层，补充说明情况。

The conjunction "再说" is used for a further statement or an added arguement to what has already been given.

例如 E.g. （1）那双皮鞋太贵了，再说样子也不太好，我不买了。

（2）今天天气不错，再说也有时间，咱们一起出去玩一会儿吧。

12. 没有任何一个国家能做到像对待男人一样地对待女人

代词"任何"指不论什么，修饰名词时一般不带"的"，除了"人"和"事"以外，不修饰单音节名词，后面常有"都、也"与之呼应。

The pronoun "任何" means "any". It can be used to modify a noun without "的". Apart from monosyllabic nouns indicating people or things，it cannot modify monosyllabic nouns. "都" or "也" usually echoes with it in the following part of the sentence.

例如 E.g. （1）任何人出国都得带护照。

（2）不要想任何事，安安静静地休息吧。

（3）任何困难我们都不怕。

（4）对这件事他没有任何表示，不知道他的意见是什么。

13. 丁文月像作总结似的说

"（好）像……似的"同"像……一样"，都表示比喻或说明情况相似。

"（好）像……似的"，same as "像……一样"，is used to make a comparison or to describe similar situations.

例如 E.g. （1）这个人很面熟，像在哪儿见过似的。

（2）他说的汉语像中国人似的。

"似的"也可用在其他词语后，在句中做定语、状语、补语、谓语等。

"似的" can also go after other phrases as an attributive，an adverbial，a complement or a predicate.

例如 E.g. （3）她哭了，一会儿又像换了个人似的笑了。

（4）他忘了似的，回答不出来。

（5）运动员跑得像飞似的。

14. 天晓得

　　动词"晓得"是知道的意思。"天晓得"是表示"谁也不知道""没有人知道"，也可以说"天知道"。

　　The verb "晓得" means "to know". "天晓得" or "天知道" carries the meaning of "nobody knows".

五 词语例解 Word Study

1. 又

（副　adverb）

表示动作或状态重复发生，多为已然

It indicates the recurrence of a known action or situation

（1）他昨天来过，今天又来了。

（2）我又看了一遍这个句子，还是不懂。

（3）春天来了，草又绿了，花又开了。

表示两个动作相继发生或反复交替发生

It indicates the successive or alternate occurrence of two actions

（4）他写完信又去洗衣服。

（5）他着急得很，站起来又坐下，坐下又站起来。

表示补充

Functioning as an added argument

（6）她是女部长，又是女科学家。

（7）中国菜好吃，又便宜。

表示转折，加强语气

Functioning as a transit for reinforcement

（8）材料很多，又必须在上午看完，真够你忙的。

（9）他想买便宜一点儿的房子，但又买不到。

2. 早

（名　noun）

（1）最近一个月来，他天天从早忙到晚。

（形　adjective）

（2）时间不早了，我该回去了。

（3）今天有考试，他去得很早。

（4）我们开学比他们早一个星期。

（副　adverb）

（5）这件事我早听说了。

（6）我早就知道讨论不出一个结果来。

3. 受

（动　verb）

接受的意思

It means "to receive"

（1）他们受过大学教育，文化水平很高。

（2）客人来访问时受到热烈的欢迎。

遭受的意思

It implies "to suffer from"

（3）这个女经理小时候受过很多苦。

（4）他因为做错事受批评了。

4. 可能

（形　adjective）

（1）要做到社会上没有人犯罪，这是不可能的。

（2）你说的这种事不可能，我不相信。

（副　adverb）

（3）田中平可能找到工作了，你可以问问他。

（4）七点了，老林可能不会来了。

5. 恐怕

（副　adverb）

（1）下星期的飞机票恐怕买不到了。

（2）大夫，他发烧十天了，恐怕不是感冒吧！

（3）这样做恐怕不太合适，还是再商量商量吧。

（4）他们争论了恐怕有两个小时，但认识还是不一致。

中国的"半边天"

"半边天"是说现在的中国妇女在社会生活中占有很重要的地位。1949 年新中国成立后，通过的第一部法律就是《婚姻法》。《婚姻法》规定实行男女婚姻自由，一夫一妻，建立一种保护妇女和儿童合法利益的新的婚姻制度。几十年来，中国妇女在中国的政治生活、经济生活中起的作用越来越大了。

中国妇女有着与男子平等的就业权利，目前中国女性就业人数占社会总就业人数的 44％，高于世界 34.5％的比例。中国妇女参加政治活动的比例也很高，1954 年第一届全国人民代表大会的女代表只占 12％，到 1993 年第八届全国人民代表大会时，女代表已占 21％。现在全国有 30 多名女部长、女省长，300 多名女市长。中国政府大力发展妇女教育事业，女童入学率已达到 97％，女大学生达到 34％。

中国妇女地位的提高，不仅表现在就业、从政、受教育等的比例增大，而且还表现在那些生活比较贫困的农村妇女，也正在学文化，用新思想、新技术创造新的生活。联合国 1986 年以来在中国实行的一项叫做 W. P. D（Women Population and Development），即"妇女、人口和发展"，的国际项目就是很好的说明。

这些生活穷困、不识字的妇女组成一个个小组，利用业余时间，识字、学文化、学技术，不再依靠丈夫生活了，她们有了自己的追求和理想。宁夏回族自治区的五个女人共同画了一张理想图：马路上开着各种大大小小的车辆，村子里有高大的楼房，山下有整齐的农田，山上有树，还有鱼塘，并特意用红笔画了一条和鱼塘一样大的鱼，意思是鱼塘里应该养出大鱼来。最可贵的是画了一所正在上课的小学和一户农民家庭丈夫出门前举手跟妻子再见的情景，旁边还加了解释"家庭和睦"。这种对文化学习和文明生活的追求是非常了不起的。这五个女人一年后真的在村子的水塘里养了鱼，并且有了收入。山里人养鱼卖钱，这种过去连男人想都想不到的事，现在五个女人把它变成了现实。青海省农民宋桂香参加 W. P. D 小组后，学会了识字、算数和贷款，她先贷款 300 元，买了两头五个月的猪，三个月后，她不仅还清了贷款，还挣了 250 元钱。接着她又向银行贷款 5000 元养猪、种蘑菇。

　　"妇女、人口和发展"项目使这些贫困地区的妇女学会了认字、学会了挣钱，实实在在地改变了她们的社会地位，实现了最现实的男女平等，相信这一项目会取得更大的成果。

生词 New Words

1.	半边天	（名）	bànbiāntiān	half the sky；women
2.	部	（量）	bù	(a measure word)
3.	利益	（名）	lìyì	benefit，interest
4.	政治	（名）	zhèngzhì	politics
5.	起…作用		qǐ…zuòyòng	to play a role in
6.	届	（量）	jiè	(a measure word)
7.	从政	（动）	cóngzhèng	to join government service
8.	贫困	（形）	pínkùn	impoverished
9.	创造	（动）	chuàngzào	to create
10.	追求	（动）	zhuīqiú	to seek
11.	理想	（名）	lǐxiǎng	ideal
12.	整齐	（形）	zhěngqí	orderly
13.	鱼塘	（名）	yútáng	fish pond
14.	可贵	（形）	kěguì	valuable
15.	和睦	（形）	hémù	harmonious
16.	文明	（形，名）	wénmíng	civilized；civilization

66

17.	变（成）	（动）	biàn(chéng)	to become
18.	贷款		dài kuǎn	to get (or grant) a loan；loan
19.	猪	（名）	zhū	pig
20.	蘑菇	（名）	mógu	mushroom
21.	实现	（动）	shíxiàn	to realize

专 名 Proper Nouns

1.	《婚姻法》	《Hūnyīn Fǎ》	*Marriage law*
2.	宁夏回族自治区	Níngxià Huízú Zìzhìqū	Ningxia Hui Autonomous Region
3.	青海省	Qīnghǎi Shěng	Qinghai Province
4.	宋桂香	Sòng Guìxiāng	name of a person

第六课 请保护我们的地球
Lesson 6

一 课文 Text 🎧

一个周末，苏珊开车来到离城100多公里的舅舅家。这儿是一个空气清新、风景美丽的小村子。全村30多户人家。有的种粮食种蔬菜，有的养鱼养虾。舅舅在附近水库养鱼已经养了十几年了。他技术好，养的鱼又多又大，每年收入不少，日子过得挺不错。

"你先休息一会儿，下午我带你去水库看看，顺便打回几条鱼来，晚上让你尝尝我养的鱼。"

来到水库，这儿绿水青山，环境优美。苏珊对舅舅说："您生活在这儿，活100岁没有问题。"

"你别看①现在这儿风景如画，几年前可不是这样。我是十几年前开始养鱼的。头几年还不错，后来水变黑了，养的鱼一年不如一年②。住在水库周围的人疾病的发病率和癌症死亡率也明显高于③别的地方。"

"水库的水被污染了？"

"没错儿。原来是几年前水库上游地区建起了好几个大型造纸厂和化肥厂，这些工厂每天产生的大量工业废水未经任何处理就流

68

入水库。后来经过三四年的积极治理才渐渐变成了现在这个样子。"

"看来，不能只考虑生产不考虑环境保护啊。"

"是这样，不然就会受到大自然的惩罚。等生产发展了，环境也被严重污染了，然后才被迫回过头来治理污染，④这样代价太大了。你们那儿环境比以前好一些吗？"

"看不出来。我们那儿主要是空气污染很严重，天空老是灰色的，蓝天已经很难看到了。"

吃过晚饭以后，苏珊和舅舅一家一边听音乐一边继续谈论环境污染问题。舅舅说："环境污染主要来自⑤工业生产，有的地方主要是空气污染，有的地方主要是水污染。"

"生活垃圾造成的污染也不能小看。"舅母说。

坐在沙发上听音乐的表姐也插进来说："很多城市噪音污染也很严重。"

他们谈了一个多小时，音乐节目完了。舅舅看时间不早了，就对苏珊说："九点钟了，你早点儿休息吧，明天你还得开车回去。"

苏珊走进卧室，躺在床上，拿起⑥一本杂志，她看到一篇题目为⑦"请保护我们的地球"的文章，其中有这样的一段：

"我们只有一个地球。尽管21世纪人类的科学技术将取得伟大的成就，但是人类还将永久地在地球上生活。为了使⑧天空更蓝，河水更清，空气更新鲜，为了使全世界几十亿人有一个良好的生活环境，治理污染，保护地球⑨已成为全人类共同的责任。"

二 生词 New Words 🎧

1.	清新	（形）	qīngxīn	fresh
2.	美丽	（形）	měilì	beautiful

3.	户	（量）	hù	(a measure word)
4.	人家	（名）	rénjiā	household
5.	种	（动）	zhòng	to grow
6.	粮食	（名）	liángshi	crops，grain
7.	虾	（名）	xiā	shrimp，prawn
8.	水库	（名）	shuǐkù	reservoir
9.	打（鱼）	（动）	dǎ(yú)	to fish, to catch (fish)
10.	绿	（形）	lù	green
11.	青	（形）	qīng	blue or green
12.	优美	（形）	yōuměi	fine
13.	别看		bié kàn	although
14.	如	（动）	rú	to resemble，to be like
15.	头	（形）	tóu	first
16.	变	（动）	biàn	to change，to become
17.	不如	（动，连）	bùrú	not as good as
18.	疾病	（名）	jíbìng	disease
19.	发病		fā bìng	incidence （of a disease）
20.	癌症	（名）	áizhèng	cancer
21.	明显	（形）	míngxiǎn	obvious，clear
22.	污染	（动）	wūrǎn	to pollute，to contaminate
23.	上游	（名）	shàngyóu	upper reaches （of a river）
24.	建	（动）	jiàn	to build
25.	大型	（形）	dàxíng	large
26.	造纸		zào zhǐ	paper making
27.	化肥	（名）	huàféi	chemical fertilizer
28.	产生	（动）	chǎnshēng	to produce
29.	大量	（形）	dàliàng	a great quantity
30.	废水	（名）	fèishuǐ	waste water
31.	未	（副）	wèi	not yet

70

32. 处理	（动）	chǔlǐ	to treat
33. （流）入	（动）	（liú）rù	to enter, to flow into
34. 治理	（动）	zhìlǐ	to harness
35. 保护	（动）	bǎohù	to protect
36. 不然	（连）	bùrán	otherwise, or
37. 大自然	（名）	dàzìrán	nature
38. 惩罚	（动）	chéngfá	to punish
39. 严重	（形）	yánzhòng	serious
40. 被迫		bèi pò	to be forced
41. 天空	（名）	tiānkōng	sky
42. 老（是）	（副）	lǎo（shì）	always
43. 灰色	（形）	huīsè	grey
44. 来自	（动）	láizì	to come from
45. 垃圾	（名）	lājī	rubbish
46. 造成		zào chéng	to cause
47. 小看	（动）	xiǎokàn	to look down upon
48. 噪音	（名）	zàoyīn	noise
49. 躺	（动）	tǎng	to lie
50. 地球	（名）	dìqiú	the globe, the earth
51. 其中	（名）	qízhōng	in (it), among (which, them)
52. 世纪	（名）	shìjì	century
53. 人类	（名）	rénlèi	mankind
54. 取得	（动）	qǔdé	to achieve
55. 伟大	（形）	wěidà	great
56. 成就	（名）	chéngjiù	achievement
57. 永久	（形）	yǒngjiǔ	forever, permanent
58. 使	（动）	shǐ	to make, to enable
59. 良好	（形）	liánghǎo	good

三 功能 Functions

1. **承前省略 (1)** chéngqián shěnglüè (1)

Omission logically resulted from previous reference（1）

在话语或篇章中，某些成分由于前面已经出现过，为了避免重复，下文可以省略。

In speech or writing some elements that appeared previously can be omitted in the following passage so as to avoid repetition.

A···，[A] ···，[A] ···，···

（1）他 A 技术好，[A] 养的鱼又多又大，[A] 每年收入不少，[A] 日子过得挺不错。

（2）罗杰 A 感冒了，[A] 昨天没有来上课 [A] 也没有请假。

（3）这里 A 青山绿水，[A] 环境优美，[A] 风景如画。

2. **表示前后对比** biǎoshì qiánhòu duìbǐ

Comparison between the former and the latter

（以前）a （a₁，a₂···），后来 b （b₁，b₂···）

（1）头几年这儿的水还不错，后来水变黑了。

（2）以前我认为要不要孩子、要几个孩子完全是个人的事，后来我看了几篇文章，觉得这种想法是不对的。

（3）开始我很不适应这里的生活，后来才慢慢地适应了。

3. **表示比较** biǎoshì bǐjiào

Comparion

表示情况越来越坏。

Indicating that something is getting worse：

a （a₁，a₂···）－ b 不如一 b （＋c)

（1）水受到了污染，养的鱼一年不如一年。

（2）不知为什么，这几次考试成绩一次不如一次好。

表示前者比不上后者。

Indicating that the former is not as good as the latter.

a 不如 b （＋c)

（3）她汉字不如我写得好，我汉字不如老师写得好。

（4）这张照片不如那张照得好。

4. 解释原因 jiěshì yuányīn

Explaining the cause of something

a（a₁，a₂…），原来 b（b₁，b₂…）

（1）住在水库周围的人发病率比别的地方高。原来，水库里的水被污染了。

（2）我跟他说汉语，他听不懂。原来他不是中国人，是日本人。

a（a₁，a₂…），因为 b（b₁，b₂…）

（3）飞机晚点了三个小时，因为天气不好。

（4）不用告诉他了，因为他已经知道了。

5. 连接两种相反的情况（3） liánjiē liǎng zhǒng xiāngfǎn de qíngkuàng（3）

Connecting two opposite things（3）

用"不然（的话）"表示与上文相反的情况，下文就此加以说明。

By "不然（的话）" an opposite situation with further explanation can be given.

a（a₁，a₂…），不然（的话）b（b₁，b₂…）

（1）不能只考虑生产不考虑保护环境，不然就会受到大自然的惩罚。

（2）他一定是有什么事，不然的话，为什么这么晚还不回来？

（3）今晚我们应该早点儿睡觉，不然明天早上六点钟就起不来了。

6. 承接关系（2） chéngjiē guānxi（2）

Connective relation（2）

表示前一个动作或事件结束后，紧接着进行下一个动作或事件。

It indicates that one action or thing is closely followed by another immediately after it finishes.

a（a₁，a₂…），然后 b（b₁，b₂…）

（1）等环境被严重污染了，然后才被迫回过头来治理污染，这样代价就太大了。

（2）我们先讨论一下，然后再作决定。

a（a₁，a₂…），接着 b（b₁，b₂…）

（3）丁文月说："没有哪一个国家能够做到像对待男人一样对待女人。"林达接着说："由于种种原因，妇女要得到跟男人一样的地位必须付出更大的代价。"

（4）哥哥先到了北京，接着又去了西安和广州。

四 注释 Notes

1. 你别看现在这儿风景如画

这儿"别看"是连词，常用来提出一种情况，下文表示相反的意思，后一分句可以用"可是""但是"来连接。

"别看" here is a conjunction used to introduce a situation which is followed by an opposite statement. The second clause can be connected with the first one by "可是" or "但是".

例如 E.g. （1）别看他年纪小，知道的事不少。

（2）别看她才学了一年汉语，但说得挺不错。

（3）别看这个商店不大，但东西很多。

2. 养的鱼一年不如一年

动词"不如"用于比较，其句式有：

The verb "不如" is used for comparison in the following possible sentence patterns：

A 不如 B　　表示 A 比不上 B。

A 不如 B　　　（A is not as good as B）

例如 E.g. （1）看电影不如看电视。

（2）这位大夫不如那位大夫。

A 不如 B……　　比较的结果。

A 不如 B...　　results of the comparison.

例如 E.g. （3）走路不如骑车快。

（4）我介绍的不如他介绍的详细。

"一 + 量 + 不如 + 一 + 量"这一句式用于表示情况每况愈下。

"一 + measure word + 不如 + 一 + measure word" is used to indicate the situation goes from bad to worse）.

例如 E.g. （5）爷爷的身体一天不如一天。

（6）昨天晚上的节目一个不如一个，太没意思了。

3. 住在水库周围的人疾病的发病率和癌症死亡率也明显高于别的地方

这里"于"是介词，多用在单音节形容词后表示比较，常用于书面。

The preposition "于" often goes after a monosyllabic adjective for comparison, mostly used in written Chinese.

例如 E.g. （1）今年这儿的雨雪多于去年。

（2）城市里的生活水平明显高于农村。

（3）同学们这学期的成绩大多好于上学期的。

74

4. 然后才被迫回过头来治理污染

"回过头来"是"再返回到……"的意思。

"回过头来" means "Let's come back to...".

例如 E.g. （1）大家应该回过头来想一想，以前哪些事做对了，哪些事做错了。

（2）每次做完作业应该回过头来检查一遍，看看有没有做错的。

5. 环境污染主要来自工业生产

"来自"是"从……来"的意思，后面常用表示处所或来源的词语，多用于书面。

"来自" means "come from...". It is often followed by a word of locality or source，mostly used in written Chinese.

例如 E.g. （1）田中平来自日本，王云山来自中国。

（2）这条新闻来自《中国日报》。

6. 拿起一本杂志

这儿"起"是动词，用在其他动词后表示人或物体随动作由下向上。

The verb "起" here is used to indicate that people or things move upwards.

例如 E.g. （1）一下课她就拿起书包走了。

（2）他搬起椅子进屋了。

7. 她看到一篇题目为"请保护我们的地球"的文章

这里的"为"是动词，"是"的意思，用于书面。

The verb "为" here is equal to "是"，often found in written Chinese.

例如 E.g. （1）北京为中国的首都。

（2）我借到一本书，书名为《太极拳介绍》。

8. 为了使天空更蓝

这里的"使"是动词，表示"致使"的意思，多用于兼语句，基本格式是"A使B怎么样"。口语也说"叫、让"。

The verb "使" here means "cause" and mostly used in a pivotal sentence. Its basic pattern is "A + 使 + B + result". In spoken Chinese "使" can be replaced by "让" or "叫".

例如 E.g. （1）看书使我懂得了很多道理。

（2）锻炼能使身体健康。

（3）这次讨论没有使问题得到解决。

9. 治理污染，保护地球已成为全人类共同的责任

在这个句子里，"治理污染"和"保护地球"是两个动宾结构，在句子里做主语。

In this sentence both "治理污染" and "保护地球" are verb-object structures used as the subject.

五 词语例解 Word Study

1. 日子

（名　noun）

指生活

It refers to life

（1）随着经济收入的增加，这家人的日子越来越好。

（2）老王，你最近日子过得怎么样？

指时间

It refers to time

（3）再过些日子我们就要放假了。

指日期

It refers to date

（4）今天是什么日子？今天是我的生日。

2. 头

（名　noun）

（1）这两天我头疼、咳嗽，可能是感冒了。

（2）他头上戴着帽子没有？

（形　adjective）

（3）今天上午我头两节没课，你呢？

（4）刚到这儿的头几个星期我不太习惯这儿的生活，现在好多了。

（量　measure word）

（5）他家养着10头牛、50只羊。

3. 原来

（形　adjective）

（1）他原来的名字叫刘明，现在叫刘长明。

（2）陈教授还住在原来的地方，你可以给他打个电话。

（副 adverb）

（3）这个地方原来不是这个样子，这几年变了。

（4）他原来是搞科学研究的，后来做生意了。

副词"原来"还有"发现从前不知道的情况，恍然大悟"的意思

The adverb "原来" also means "discovery of what was unknown before" and "sudden realization"

（5）原来你还没走，我以为你早走了。

（6）水库里的水为什么变黑了？原来是水被污染了。

4. 老

（形 adjective）

（1）他奶奶老了，不能劳动了。

（2）我们是老邻居了，也是老朋友了。

（副 adverb）

（3）这儿环境很好，空气老这么新鲜。

（4）老吃这种面包没意思，吃别的吧。

（前缀 prefix）

（5）老丁和老李今天都有事，不来了。

（6）他们家兄弟三个人，这是老大，这是老二，那是老三。

5. 其中

（方位 locality）

（1）听报告的人有200多，其中一半是中文系的学生。

（2）这个城市环境不太好，空气污染、水污染、噪音污染都有，其中水污染最严重。

六 阅读课文 Reading Comprehension

另一种环境污染

提起环境污染，人们很自然会想起河流污染、空气污染、噪音污染等日常生活环境的污染。但是，还有另一种环境污染，也不能小看。这就是

土地沙漠化。保护地球、保护大自然，不仅要积极治理日常生活环境的污染，而且也要努力治理和防止生态环境的污染。

中国政府从上个世纪七十年代起，在中国的西北、华北的北部和东北的西部地区，大量造林种草，建起了一座"绿色长城"，这就是有名的"三北"农田防护林工程。"三北"防护林跨越新疆、青海等12个省（区）市的396个县，现已造林九千万亩，使一亿两千多万亩农田得到了保护，这一地区三分之一以上的县生态环境有了明显改善，它为中国"三北"地区的经济发展创造了良好的生态环境。

在世界有名的毛乌素大沙漠边，有一户了不起的中国农民人家，在十多年的时间里，在沙漠上种植了17万棵树，使两万亩沙漠变成了绿色林海，实现了多少代人"人进沙退"的梦想！这家的男主人叫张加旺，女主人叫牛玉琴。联合国因此给牛玉琴颁发了"拉奥博士奖"，那年，全世界只有三个人获得了这个奖。

张加旺、牛玉琴夫妇是中国陕西省靖边县东炕乡农民。1983年起，他们带着三个儿子开始在毛乌素大沙漠上种树，决心要绿化沙漠。在沙漠上种树十分艰难，常常是才种活的小树，一场风暴过后，全都被刮倒，许多甚至被连根拔起。牛玉琴一家并没有被风暴吓倒，哪里的树苗被拔起，就在哪里及时补种，就这样补种，拔起，拔起，又补种，老天终于低头了，风暴终于服输了，千百年来"沙进人退"的历史终于在这户普通中国农民人家手里改写为"人进沙退"了。就这样，两万亩沙漠变成了绿洲。现在他们已在林场办起了一所"旺琴小学"，附近的孩子们已经入学读书了。他们不仅要向沙漠要田、向沙漠要粮，而且要在这沙漠绿洲上培养出有文化的新一代农民，更好地治理沙漠。

生词 New Words

1. 土地	（名）	tǔdì	land, soil
2. 沙漠	（名）	shāmò	desert

3.	…化		…huà	（-ization）
4.	防止	（动）	fángzhǐ	to prevent
5.	造林		zào lín	afforestation
6.	绿色长城		lǜsè Chángchéng	green Great Wall
7.	农田	（名）	nóngtián	farmland
8.	防护林	（名）	fánghùlín	shelter forest
9.	跨越	（动）	kuàyuè	to cross
10.	棵	（量）	kē	（a measure word）
11.	人进沙退		rén jìn shā tuì	Men can force the desert to retreat.（Men can conquer deserts.）
12.	梦想	（名，动）	mèngxiǎng	dream; to dream
13.	颁发	（动）	bānfā	to issue
14.	艰难	（形）	jiānnán	difficult
15.	风暴	（名）	fēngbào	windstorm
16.	连根拔起		lián gēn bá qǐ	to uproot
17.	补	（动）	bǔ	to make up for a loss
18.	终于	（副）	zhōngyú	at last
19.	低头		dī tóu	to lower one's head
20.	培养	（动）	péiyǎng	to train

专名 Proper Nouns

1.	西北	Xīběi	Northwest China
2.	华北	Huáběi	North China
3.	东北	Dōngběi	Northeast China
4.	三北	Sān Běi	the three northern regions（the northwest，north and northeast of China）
5.	新疆	Xīnjiāng	the Xingjiang Uygur Autonomous Region
6.	毛乌素沙漠	Máowūsù Shāmò	Maowusu Desert

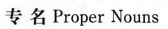

7. 张加旺	Zhāng Jiāwàng	name of a person
8. 牛玉琴	Niú Yùqín	name of a person
9. 拉奥博士奖	Lā'ào Bóshì Jiǎng	an international prize
10. 陕西省	Shǎnxī Shěng	Shaanxi Province
11. 靖边县	Jìngbiān Xiàn	Jingbian County
12. 东炕乡	Dōngkàng Xiāng	name of a place
13. 旺琴小学	Wàngqín Xiǎoxué	name of a primary school

80

第七课 他是由于输血不幸感染的
Lesson 7

一 课文 Text 🎧

田中平寄完信在学校门口儿遇见了约翰。他问约翰："昨天晚上你看电视了没有？"

"没有。下星期要交一篇报告，我上图书馆看参考书去了。有什么好节目？"

"昨天晚上八点半，有一个预防艾滋病的节目。一个青年讲了他是怎样得的艾滋病，得了艾滋病以后应该怎么办。"

因为约翰对当前的一些社会问题很有兴趣，而且常常喜欢跟同学讨论，所以田中平问他看了没有。①

"他是怎么讲的？"约翰问。

"他说，三年前他被确诊为艾滋病患者。三年来，他已经到几十所大学、中学作过报告，宣传如何预防艾滋病。他说他今年才28岁，可生活在世界上的时间不多了，但是他要为人类的健康贡献出②自己最后的一点儿力量。"

"那他是怎么得病的呢？"

"他是由于输血不幸感染的。"③

"性接触和吸毒是传染艾滋病的两个主要途径。他是因为输血感染的，太不幸了！"

"性泛滥和吸毒已给社会造成了严重后果。现在不少国家的青年正在努力用道德力量指导自己的生活。"

"这样的青年越多对社会越有利。目前艾滋病已成为人类健康的主要敌人之一。世界上现在还没有有效的治疗办法。在这种情况下，④有人用自己的亲身经历讲讲艾滋病的预防，⑤个人、家庭、社会应该怎样对待艾滋病患者，这样的节目很有意义。"

"我的想法跟你一样。我觉得目前家庭在预防和治疗艾滋病过程中可以起到很大的作用。⑥首先，幸福和美的家庭生活可以减少艾滋病的传染。其次，艾滋病患者需要一个长期的治疗过程。在家里，病人可以一边接受治疗一边做些力所能及的工作，同时也可以减少一部分医疗费。第三，在亲人的关怀照顾下，度过生命的最后时刻，对于病人来说，这也是最好的精神安慰。"

"据介绍，目前全世界已有三千多万人得了艾滋病。非洲、亚洲、美洲、大洋洲都发现有艾滋病患者，只是有的国家多一些，有的国家少一些。联合国专家估计，到 2010 年，将有 2500 万儿童因父母患艾滋病而失去亲人，⑦成为无家可归的流浪儿。"

"世界上每年因艾滋病造成的损失达几百亿美元，每年因艾滋病而死亡的人数又⑧不知有多少！"

"12 月 1 日是世界预防艾滋病日，世界卫生组织和各国每年都要在这个时候利用各种形式进行宣传，提高人们对预防艾滋病的认识。"

"各国科学家都在积极研究治疗艾滋病的方法和药物。相信不久的将来，艾滋病也会跟其他疾病一样，是能够得到有效治疗的。"

"但愿这一天能早一点儿到来！"

二 生词 New Words 🎧

1. 参考书	（名）	cānkǎoshū	reference book
2. 预防	（动）	yùfáng	to prevent
3. 艾滋病	（名）	àizībìng	AIDS
4. 确诊	（动）	quèzhěn	to make a definte diagnosis
5. 患者	（名）	huànzhě	patient
6. 宣传	（动）	xuānchuán	to propagate
7. 贡献	（动）	gòngxiàn	to contribute
8. 输血		shū xuè	blood transfusion
9. 不幸	（形）	búxìng	unfortunate
10. 感染	（动）	gǎnrǎn	to infect
11. 性	（名）	xìng	sex
12. 接触	（动）	jiēchù	to contact
13. 吸毒		xī dú	drug taking
14. 传染	（动）	chuánrǎn	to infect
15. 途径	（名）	tújìng	way，channel
16. 泛滥	（动）	fànlàn	to spread unchecked
17. 后果	（名）	hòuguǒ	consequence
18. 指导	（动）	zhǐdǎo	to guide
19. 有利	（形）	yǒulì	beneficial
20. 目前	（名）	mùqián	at present
21. 敌人	（名）	dírén	enemy
22. …之一		…zhī yī	one of
23. 有效	（形）	yǒuxiào	effective
24. 治疗	（动）	zhìliáo	to give medical treatment
25. 在…下		zài…xià	under
26. 亲身	（副）	qīnshēn	personally

27.	经历	（名，动）	jīnglì	experience；to experience
28.	过程	（名）	guòchéng	process
29.	起…作用		qǐ…zuòyòng	to play a role
30.	作用	（名）	zuòyòng	function
31.	和美	（形）	héměi	happy and harmonious
32.	其次	（代）	qícì	secondly
33.	长期	（名）	chángqī	a long period of time
34.	病人	（名）	bìngrén	patient
35.	力所能及		lì suǒ néng jí	to do what one can
36.	亲人	（名）	qīnrén	members of one's family，dear ones
37.	关怀	（动）	guānhuái	to show loving care for
38.	照顾	（动）	zhàogù	to look after
39.	度过	（动）	dùguò	to spend，to pass
40.	生命	（名）	shēngmìng	life
41.	时刻	（名）	shíkè	time，hour
42.	精神	（名）	jīngshén	spirit
43.	安慰	（动）	ānwèi	to comfort
44.	只是	（副，连）	zhǐshì	only
45.	因…而…		yīn…ér…	（This structure shows the inter-relation of the cause and the consequence）
46.	无家可归		wú jiā kě guī	homeless
47.	流浪儿	（名）	liúlàng'ér	waif
48.	损失	（名，动）	sǔnshī	loss；to lose
49.	组织	（名，动）	zǔzhī	organization；to organize
50.	利用	（动）	lìyòng	to make use of
51.	形式	（名）	xíngshì	form
52.	药物	（名）	yàowù	medicine
53.	将来	（名）	jiānglái	future

54. 其他　　　（代）　　qítā　　　　　other
55. 能够　　　（助动）　　nénggòu　　　can

专名 Proper Nouns

1. 世界卫生组织　　Shìjiè Wèishēng Zǔzhī　　The World Health Organization
2. 非洲　　　　　　Fēizhōu　　　　　　　Africa
3. 亚洲　　　　　　Yàzhōu　　　　　　　Asia
4. 大洋洲　　　　　Dàyángzhōu　　　　　Oceania

三 功能 Functions

1. 表示条件 biǎoshì tiáojiàn

Conditions

表示某种情况或结论的前提条件。

It shows the preconditions for something or a conclusion.

在 a 下，b（b_1，b_1···）

（1）现在还没有治疗艾滋病的有效方法，<u>在这种情况下</u>，有人用自己的亲身经历讲讲艾滋病的预防，是很有意义的。

（2）<u>在陈教授的帮助和鼓励下</u>，我开始研究中国的京剧，现在已经写了十几篇介绍京剧的文章。

2. 论证结构 lùnzhèng jiégòu

Formation of argumentation

汉语篇章（或话语）的论证结构一般由论点、论据和结论三部分组成。

In Chinese writing or speech a proof generally consists of arguments, grounds and the conclusion.

论点 a＋论据 b（b_1，b_2···）＋（结论 c）

（1）家庭在预防和治疗艾滋病过程中可以起到很大的作用（a）。首先，幸福和美的家庭生活可以减少艾滋病的传染（b_1）。其次，在家里治疗既可以减少医疗费用，又可以做些力所能及的工作（b_2）。第三，在亲人的关怀照顾下，度过生命的最后时刻，是对病人最好的精神安慰（b₃）。

(2) 我也想到过离婚（a），但是，我现在还很爱她（b₁）；妻子对我也还有一定的感情（b₂）；另外，要是现在就离婚也对不起岳父、岳母，他们很喜欢我（b₃），所以我现在不能提出离婚（c）。

3. 罗列（2）luóliè（2）

Enumeration（2）

> …首先，…其次，…［再（其）次，…］，最后，…

(1) 当前家庭结构变化有四个特点。<u>首先</u>，家庭结构越来越小。<u>其次</u>，离婚率越来越高。<u>再其次</u>，非婚生子女越来越多。<u>最后</u>，单身青年的比例越来越大。

> …首先，…其次，…第三，…第四，…第 X，…

(2) 我今天打算讲四个问题。<u>首先</u>，介绍一下中国的经济情况。<u>其次</u>，说说当前中国的社会问题。<u>第三</u>，谈谈中国的人口政策。<u>第四</u>，讲讲中国老年人的生活。

4. 表示从某人、某事的角度来看 biǎoshì cóng mǒu rén、mǒu shì de jiǎodù lái kàn

In view of something from a personal perspective

> （a₁，a₂…），对（于）b 来说，c（c₁，c₂…）

(1) 在亲人的关怀下，度过生命的最后时刻，<u>对于</u>病人<u>来说</u>，这是最好的精神安慰。

(2) 什么婚姻啊，家庭啊，孩子啊，<u>对</u>那些追求单身生活的人<u>来说</u>都是不重要的。

(3) 汉语的四个声调，<u>对</u>我们外国人<u>来说</u>是很难的。

5. 表示原因和结果（2）biǎoshì yuányīn hé jiéguǒ（2）

Cause and result（2）

> 因 a（a₁，a₂…）而 b（b₁，b₂…）

(1) 已有 500 万儿童<u>因</u>父母患艾滋病<u>而</u>失去亲人，成为无家可归的流浪儿。

(2) 他们<u>因</u>感情发生了变化<u>而</u>离婚。

(3) 苏姗<u>因</u>病<u>而</u>没有参加比赛。

6. 展望 zhǎnwàng

Prospects

对事物发展前途的预测。

Forecasting the future development of things.

> （a）相信 b（b₁，b₂…）

（1）<u>相信不久的将来</u>，艾滋病也会跟其他疾病一样能够得到有效的治疗。

（2）<u>我们相信</u>，这个问题一定会得到很好的解决。

7. 表达愿望 biǎodá yuànwàng

Expressing one's wishes

祈望所担心的事不要发生或不易实现的事能够实现。

Expressing the hope that something undesirable would not take place and what is difficult to realize would come true.

> （a₁，a₂…）但愿 b（b₁，b₂…）

（1）<u>但愿</u>这一天能早一点儿到来！

（2）<u>但愿</u>各国的老人都能有一个幸福的晚年！

（3）<u>但愿</u>明天不要下雨。

四 注释 Notes

1. 因为约翰对当前的一些社会问题很有兴趣，而且常常喜欢跟同学讨论，所以田中平问他看了没有

这是一个多重复句，各分句之间的关系是：

This is a multiple complex sentence that can be divided grammatically into：

因为约翰对当前的一些社会问题很有兴趣（a），而且常常喜欢跟同学讨论（b），所以田中平问他看了没有（c）。

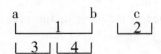

1-2 因果关系

causal relation

3-4 递进关系

progressive relation

2. 但是他要为人类的健康贡献出自己的最后一点儿力量

这里"出"是引申用法，用在动词后表示人或事物随动作从里向外。

Used in an extended way "出" here goes after the verb, denoting that people or things move outwards as an action takes place.

例如 E.g. （1）信寄出五天了，不知他收到了没有？

（2）昨天乔治拿出一百块钱请客。

3. 他是由于输血不幸感染的

这是"是……的"句，"是……的"用来强调动作，而这一动作又是产生某种结果的原因。

This belongs to the "是……的" sentences which are employed to emphasize an action from which something is resulted.

例如 E.g. （1）他是为了学习汉语去中国的。

（2）马丽是得艾滋病死的。

4. 在这种情况下

"在……下"中间可以是名词词组或动词词组，常用来表示某种条件。

"在……下" can be inserted with a conditional nominal or verbal phrase.

例如 E.g. （1）在姐姐的帮助下，妹妹写完了作业。

（2）在亲人的关怀下，他的精神一天比一天好。

5. 有人用自己的亲身经历讲讲艾滋病的预防

这是"有"的兼语句套着连动句。常见的用"有"和"没有"的无主语兼语句句式如下：

This is a pivotal sentence taken by "有" with verbal constructions in series in it. The common patterns of subjectless pivotal sentences taken by "有" or "没有" are as follows：

例如 E.g. （1）刚才有人找你。

（2）今天没有人给你打电话。

上述句子中"用……讲……"是一个连动结构，与兼语结构套用在一起。

"用……讲……" which contains verbal constructions in series is included in the pivotal sentence.

6. 我觉得目前家庭在预防和治疗艾滋病过程中可以起到很大的作用

这里"起"是动词，"发生"的意思。"起……作用"常用于句中做谓语。

The verb "起" here means "take effect". "起……作用" often functions as a predicate in a sentence.

例如 E.g. （1） 这种药对治疗艾滋病不起作用。

（2） 专家们的意见对政府制定人口政策起了很大的作用。

（3） 这样做对解决城市噪音污染能起作用吗？

7. 到 2010 年，将有 2500 万儿童因父母患艾滋病而失去亲人

"因……而……"常用于表示因果关系，多用于书面。

"因……而……" is often found in written Chinese to indicate a causal relation.

例如 E.g. （1） 不少老人因退休而感到寂寞。

（2） 人类将因环境严重污染而受到大自然的惩罚。

（3） 这些孩子因失去父母而走上犯罪的道路。

8. 每年因艾滋病而死亡的人数又不知有多少

这里"又"用于表示加强否定的语气。

Here "又" is used to enforce the negative tone.

例如 E.g. （1） 你为什么不找他？他又不是没在家。

（2） 又不是你的责任，你担心什么？

五 词语例解 Word Study

1. 主要

（形 adjective）

（1） 你给大家介绍一下儿这篇文章的主要内容是什么。

（2） 今天我们主要讨论如何预防艾滋病的问题。

（3） 现在主要是提高人们的认识，认识不一致，什么工作也做不好。

2. ……之一

（1） 北京是世界著名的城市之一。

（2） 离婚率高，这是社会问题之一。

（3） 他是我最好的朋友之一。

3. 同时

（名　noun）

（1）大家在努力学好汉语的同时，也要注意了解中国文化。

（2）我们两个人是同时到达北京的。

（连　conjunction）

（3）她是一个好大夫，同时也是一个好母亲。

（4）病人在家接受治疗可以减少一部分医疗费，同时也能更好地得到亲人的关怀和照顾。

4. 只是

（副　adverb）

（1）我只是来了解一下儿简单的经过，详细过程以后再说。

（2）这次我去中国只是旅游，不打算做别的事。

（连　conjunction）

（3）这儿环境很好，只是交通不太方便。

（4）他汉语说得很流利，只是声调有点儿问题。

5. 本

（名　noun）

（1）你的作业本交了没有？

（2）请问，电话本在哪儿？

（量　measure word）

（3）他手里拿着一本新杂志。

（4）你帮我把这几本书还了，好吗？

（代　pronoun）

（5）我家在本市郊区，你家也在本市吗？

（6）他本人同意了，但他父母还不太同意。

（7）本周末我们可以上完第七课。

刮骨疗毒

"刮骨疗毒"是说用刀子刮去病人骨头上的毒物。这是 1700 多年以前华佗给关羽治病的故事。

华佗是中国古代著名的医生。一次，关羽的右胳膊中了毒箭，情况十分危险。华佗知道后，马上带着药物来给关羽看病。华佗检查完以后，说毒箭已经伤着骨头了，必须立即治疗，否则，右胳膊很难保留下来，生命也很危险。

关羽问："您打算怎么治疗呢？"

华佗说："我自然有办法治疗，只是担心你会受不了。"

关羽说："您说说看吧。"

华佗接着说："我先把你的右胳膊绑起来，切开你受伤的地方，然后用刀子刮去你骨头上的毒物，最后把伤口缝好。你受得了吗？"

关羽大笑起来，说："这有什么受不了的？右胳膊也用不着绑起来。"

于是，关羽找来一个人，一边喝酒，一边下棋。华佗就在旁边给他治疗。胳膊切开后，只见被毒箭伤着的骨头已经开始变黑了。华佗用刀子一下一下地刮着骨头上的毒物，关羽却像没事儿似的下着棋，脸上根本没有痛苦的样子。

不一会儿，骨头上的毒物刮完了。华佗给伤口上了些药，缝好以后，对关羽说："胳膊上的毒物已经刮干净了，你回去要好好儿休息，一百天以后就能好。"

关羽伸了伸右胳膊，笑着对华佗说："您真是一个神医啊！"

生词 New Words

1.	刮骨疗毒	guā gǔ liáo dú	to scrape an infected bone to remove the poison
2.	古代 （名）	gǔdài	ancient times
3.	医学家 （名）	yīxuéjiā	an expert of medical science
4.	胳膊 （名）	gēbo	arm
5.	中 （动）	zhòng	to hit exactly
6.	箭 （名）	jiàn	arrow
7.	伤 （动）	shāng	to be wounded
8.	担心	dān xīn	to worry about
9.	受不了	shòu bu liǎo	cannot bear
10.	绑 （动）	bǎng	to tie
11.	伤口 （名）	shāngkǒu	wound
12.	缝 （动）	féng	to sew up
13.	下棋	xià qí	to play chess
14.	上药	shàng yào	to apply medicine to
15.	伸 （动）	shēn	to stretch
16.	神医 （名）	shényī	highly skilled doctor

专名 Proper Nouns

1.	华佗	Huà Tuó	name of a person
2.	关羽	Guān Yǔ	name of a person

第八课 吸烟有害健康
Lesson 8

一 课文 Text

吸烟对身体没有任何好处，这是谁都知道的健康常识。

现代医学证明，烟雾中含有大量的有毒物质，其中主要是尼古丁，一支香烟中大约含有20毫克尼古丁。尼古丁对成年人的致死量是40～60毫克。由于多种原因，人吸烟时，不是每次都把全部尼古丁吸进去的，所以不会立即发生危险。科学研究表明，吸烟的人得肺癌的比不吸烟的高十倍，每天吸25支以上的比不吸烟的高三十倍。除此之外①，吸烟还会引起心血管、脑血管疾病。

吸烟不仅害自己，而且也害别人。吸烟时呼出的烟雾污染环境，别人吸进去，成了被动吸烟者。父母吸烟，孩子容易得呼吸系统的病。妇女如果怀孕时吸烟，对胎儿发育很不利。有资料表明，全世界每年有几十万被动吸烟者得心脏病或癌症死去②。以美国为例，每年因被动吸烟而死于肺癌的有三千多人，还有近30万名不满一岁的孩子得肺炎、支气管炎等疾病。③

为了保护人们的健康，世界上许多国家都采取了各种措施，比如：规定在办公室、电影院以及其他公共场所不准吸烟；新闻媒体不得④为香烟做宣传广告；每包香烟上要印上"吸烟有害健康"，提醒人们注意；对香烟征收高税。另外，每年5月31日已被定为"世界无烟日"，人们开展各种活动，宣传戒烟。

随着人们对吸烟害处认识的提高，吸烟的人数在逐渐减少，但是一个不可否认⑤的事实是，现在世界上吸烟的人还是很多很多⑥，女性吸烟者比例也不小。有的国家二十至六十岁的吸烟者达到20％，在中国吸烟的人就有几亿。

既然吸烟对身体没有好处，而且还要多花钱，那么有人为什么还要吸呢？⑦乔治、田中平、苏珊他们是这么说的：

"抽烟没有好处，这我清楚，但也没有像医学上说的那么严重。不抽烟的也有早死的，抽烟的也有长寿的。我觉得关键还是自己的身体好不好。"乔治说。

"我几次想戒掉⑧，但是烟瘾一上来⑨也就没有决心了。习惯很难改啊！"田中平说。

苏珊抽过几年烟，后来戒掉了。她说："我抽烟那几年，一直有支气管炎。一到冬天，身体就不好。白天咳嗽，夜里咳嗽，常常咳得不能睡觉。有一次得了肺炎，住进了医院。大夫说，如果不把烟戒掉，身体不仅不可能好起来⑩，还会引起其他的病。他问我是要烟还是要命。我听完以后害怕了，这才把烟给戒掉。⑪"

二 生词 New Words 🎧

1. 好处	（名）	hǎochù	good，benefit
2. 常识	（名）	chángshí	common knowledge
3. 医学	（名）	yīxué	medical science
4. 烟雾	（名）	yānwù	smoke
5. 含	（动）	hán	to contain

6. （有）毒	（名）	（yǒu）dú	poison
7. 物质	（名）	wùzhì	material，substance
8. 尼古丁	（名）	nígǔdīng	nicotine
9. 香烟	（名）	xiāngyān	cigarette
10. 大约	（副）	dàyuē	about
11. 毫克	（量）	háokè	milligram
12. 成年人	（名）	chéngniánrén	adult
13. 致死量	（名）	zhìsǐliàng	lethal dose
14. 吸	（动）	xī	to inhale，to breathe in
15. 危险	（形）	wēixiǎn	dangerous
16. 表明	（动）	biǎomíng	to show
17. 肺	（名）	fèi	lungs
18. 除此之外		chú cǐ zhī wài	apart from this
19. 引起	（动）	yǐnqǐ	to give rise to
20. 血管	（名）	xuèguǎn	blood vessel
21. 脑	（名）	nǎo	brain
22. 害	（动）	hài	to do harm to somebody
23. 呼	（动）	hū	to exhale，to breathe out
24. 被动	（形）	bèidòng	passive
25. 呼吸	（动）	hūxī	to breathe
26. 系统	（名，形）	xìtǒng	system；systematic
27. 怀孕		huái yùn	to be pregnant
28. 胎儿	（名）	tāi'ér	foetus，embryo
29. 发育	（动）	fāyù	to grow
30. 不利	（形）	búlì	harmful，unfavourable
31. 资料	（名）	zīliào	data，material
32. 心脏病		xīnzàng bìng	heart disease
33. （肺）炎		（fèi）yán	(lung) inflammation (as in "pneumonia")

34.	支气管	（名）	zhīqìguǎn	bronchial
35.	以及	（连）	yǐjí	and，as well as
36.	场所	（名）	chǎngsuǒ	place
37.	准	（动，形，副）	zhǔn	to permit，to allow；exact；definitely
38.	媒体	（名）	méitǐ	medium
39.	广告	（名）	guǎnggào	advertisement
40.	包	（量）	bāo	packet，parcel
41.	印	（动）	yìn	to print
42.	提醒	（动）	tíxǐng	to remind，to warn
43.	征收	（动）	zhēngshōu	to collect（taxes），to levy
44.	税	（名）	shuì	tax，duty
45.	无	（动）	wú	no，free of
46.	开展	（动）	kāizhǎn	to carry out，to unfold
47.	戒（烟）	（动）	jiè(yān)	to give up（smoking）
48.	害处	（名）	hàichu	harm
49.	逐渐	（副）	zhújiàn	gradually
50.	否认	（动）	fǒurèn	to deny
51.	既然	（连）	jìrán	since
52.	关键	（名，形）	guānjiàn	key，crux；crucial
53.	掉	（动）	diào	to get rid of，to lose
54.	瘾	（名）	yǐn	addiction
55.	决心	（名）	juéxīn	determination
56.	改	（动）	gǎi	to change，to correct
57.	白天	（名）	báitiān	daytime
58.	命	（名）	mìng	life
59.	害怕	（动）	hàipà	to fear

三 功能 Functions

1. 引进对象或关系者 yǐnjìn duìxiàng huò guānxì zhě

Introducing a person or a thing under discussion

(a) 对 b+…

(1) 医生<u>对我说</u>，抽烟对身体没有什么好处，你应该戒掉。

(2) <u>对家庭问题</u>，大家都很感兴趣。

(3) 我<u>对他说</u>，你有什么困难可以找我。

2. 引出结论或结果（2） yǐn chū jiélùn huò jiéguǒ（2）

Conclusion or result（2）

a 证明：b（b_1，b_2…）

(1) 现代医学<u>证明</u>：从烟雾中可以分离出几千种有毒的物质，其中主要是尼古丁。

(2) <u>事实证明</u>，妇女要得到跟男人一样的地位，必须付出更大的代价。

a 表明：b（b_1，b_2…）

(3) 有资料<u>表明</u>，吸烟的人得肺癌的比不吸烟的高十倍。

(4) 这一成绩<u>表明</u>，你平时学习不太努力。

3. 补充说明（1） bǔchōng shuōmíng（1）

Additional remarks（1）

a（a_1，a_2…）b。除此之外，b（b_1，b_2…）

(1) 科学研究表明：吸烟的人得肺癌的比不抽烟的高十倍。<u>除此之外</u>，吸烟还会引起心血管和脑血管疾病。

(2) 我想去北京、西安、杭州等地旅行，<u>除此之外</u>有时间的话还想去广州和桂林。

4. 举例说明（2） jǔlì shuōmíng（2）

Illustration with examples（2）

a（a_1，a_2…）。以 b 为例，c（c_1，c_2…）

(1) 全世界每年有几十万被动吸烟者得心脏病或癌症而死。<u>以美国为例</u>，每年因被动吸烟而死于肺癌的就有三千多人。

(2) 喜欢足球的人越来越多，<u>以我们家为例</u>，我们家四口人都喜欢看足球比赛。

5. 禁止 jìnzhǐ

Prohibition

> a（a₁，a₂…），不准 b（b₁，b₂…）

(1) 许多国家规定，<u>不准</u>在办公室、电影院等公共场所吸烟。

(2) 爸爸<u>不准</u>我和弟弟喝这种酒。

> a（a₁，a₂…），不得 b（b₁，b₂…）

(3) 我国法律规定，新闻媒体<u>不得</u>为香烟做广告。

(4) <u>不得</u>把狗带到学校里。

> a（a₁，a₂…），不允许 b（b₁，b₂…）

(5) 结婚后她想保留自己原来的姓，不用丈夫的姓，但是社会<u>不允许</u>她这样做。

(6) 今天的考试<u>不允许</u>看书和查词典。

6. 由前提推断结论 yóu qiántí tuīduàn jiélùn

A conclusion inferred from the prerequisite

以某一已知的事实作为前提或理由，来推断出某一结论或结果。

A conclusion or a result may be inferred from the known fact as its prerequisite or reason.

> 既然 a（a₁，a₂…），那么/就 b（b₁，b₂…）

(1) <u>既然</u>吸烟没有好处，<u>那么</u>为什么你还吸呢？

(2) 你<u>既然</u>不想说，我也<u>就</u>不问了。

(3) 你们<u>既然</u>已经学习了一年多，<u>就</u>要坚持下去。

四 注释 Notes

1. 除此之外

"除此之外"是"除了这……以外"的意思，后面有其他成分加以补充说明，构成完整的句子，多用于书面。

"除此之外"，meaning "除了这……以外"，is often used in written Chinese，followed by some other additional illustration.

例如 E.g. （1）他英语、法语说得很流利，除此之外还会说一点儿汉语。

（2）他有一个哥哥和两个姐姐，除此之外，还有一个表弟跟他们生活在一起。

2. 全世界每年有几十万被动吸烟者得心脏病或癌症死去

动词"去"用在别的动词后表示人或事物随动作离开原来的地方。

When used after another verb，the verb "去" means that people or things move away from where they were.

例如 E.g. （1）他昨天从我这儿拿去了两本画报。

（2）上星期我买皮鞋用去了 150 块钱。

3. 还有近 30 万名不满一岁的孩子得肺炎、支气管炎等疾病

这儿"近"是"接近但没有达到"的意思，后面是数量词语。

"近" here is followed by a numeral measure word phrase meaning "approach but does not reach".

例如 E.g. （1）阅览室有近百种杂志和报纸。

（2）中文系有近 20 个教授和副教授。

"满"在数量词前表示达到某一限度。

Before a numeral measure word phrase "满" indicates that a point has been reached.

例如 E.g. （1）他去年戒烟了，到现在还不满一年。

（2）他妈妈已经满 50 岁了。

4. 新闻媒体不得为香烟做宣传广告

动词"得（dé）"这儿表示许可，多用否定式"不得"，后面要带动词词组。

When followed by a verbal phrase the verb "得（dé）" means "permisson". The negative form "不得" is more often used.

例如 E.g. （1）无票者不得进电影院。

（2）马路边不得随便停车。

5. 但是一个不可否认的事实是

"否认"是"不承认"的意思，"不可否认"是双重否定，意即肯定，"必须承认"的意思。

"否认" carries the same meaning of "不承认". "不可否认" is formed by two negatives,

99

therefore it means "必须承认".

例如 E.g. （1）不可否认的是，许多病与环境污染有关。

（2）不可否认，你结了婚就要对家庭负责。

6. 现在世界上吸烟的人还是很多很多

某些副词＋形容词（多为单音节）重叠后表示程度深。

Some reduplicated forms of "adverb + adjective" (usually monosyllabic ones) indicate "to a fairly high degree".

例如 E.g. （1）前面还有好长好长的路呢，快点儿走吧。

（2）他给了我很多很多邮票。

7. 既然吸烟对身体没有好处……那么……

连词"既然"常用于前一分句，表示先承认某种事实，后一分句根据这事实得出结论或结果，常用"那么、就、也、还、则"等呼应。

The conjunction "既然", often used in the first clause, indicates one's recognition of the statement from which a conclusion is possibly drawn. Words such as "那么", "就", "也", "还" and "则" is very often used in the second part of the complex sentence.

例如 E.g. （1）你既然不想去，就别去了。

（2）既然他一定要去参观，那么你就跟他一起去吧。

（3）既然大家都同意，我也没有什么意见。

8. 我几次想戒掉

动词"掉"用在及物动词后，做结果补语，表示"去除"的意思。

When used after a transitive verb，the verb "掉" functions as a resultative complement，meaning "out" or "off".

例如 E.g. （1）这家商场一天卖掉了 20 台洗衣机。

（2）鱼被猫吃掉了。

"掉"如用在不及物动词后，表示"离开"。

When used after an intransitive verb, "掉" means "away" or "out".

（3）他家的小狗跑掉了，找不到了。

（4）由于河水污染，不少鱼虾都死掉了。

9. 但是烟瘾一上来也就没有决心了

这里"上来"是"开始发作"的意思。

Here "上来" means "begin to take effect".

10. 身体不仅不可能好起来

这里"起来"是引申用法，用在某些形容词后，表示状态开始发展，程度在继续加深。

Here "起来" is used in an extended way. When appearing after some adjectives，it implies that a state begins to develop or a degree is becoming higher.

例如 E.g.　（1）我们前些时候不太忙，最近又忙起来了。

　　　　　　（2）天冷起来了，该穿上毛衣了。

　　　　　　（3）小张的病一天天好起来了。

11. 这才把烟给戒掉

介词"给"用在"把"字句中的动词前，表示被动，并起强调作用，多用于口语。

When used before a verb in a "把" sentence，the preposition "给" expresses a passive mood and reinforces the statement given，often used in spoken Chinese.

例如 E.g.　（1）弟弟把自行车给骑坏了。

　　　　　　（2）对不起，我把这事给忘了。

　　　　　　（3）大夫把苏姗的病给治好了。

五 词语例解 Word Study

1. 大约

（副　adverb）

（1）学校大约 6 月初放假。

（2）这儿离火车站大约 10 公里。

（3）我们系女生大约占 45%。

（4）我想他大约会同意这样做。

2. 得

（dé　动　verb）

得到、取得

To obtain，to receive

（1）抽烟的人容易得肺病。

（2）这次语法考试我得了 90 分。

用在别的动词前，表示许可

When used before a verb it expresses a permission

（3）请注意，这儿不得抽烟。

（de　助　particle）

（4）这些广告做得不错。

（5）你的烟戒得掉戒不掉？

（děi　助动　auxiliary verb）

（6）你这事得跟家里说一下儿。

（7）后天去不去我还得考虑考虑。

（8）翻译完这篇文章得一个多星期。

3. 近

（形　adjective）

（1）这儿离医院很近，走路10分钟。

（2）声音由远而近，听得很清楚。

（3）这个国家每年死于心脏病的近一万人。

（4）他近60岁的人了，当然不如你们年轻人。

4. 另外

（形　adjective）

（1）这个问题不谈了，现在我要谈另外一个问题。

（2）你们几个人坐公共汽车，另外的人骑自行车。

（副　adverb）

（3）除了这一张画以外，我再另外送你一张。

（4）你就住在这儿，我另外找个地方住。

（连　conjunction）

（5）香蕉、苹果我都买了，另外，我又买了一些橘子。

（6）一会儿我到图书馆借书还书，另外，我还得复印几份资料。

5. 既然

（连　conjunction）

（1）既然抽烟有害身体，你为什么不戒掉呢？

（2）既然大家都同意，那就这样定下来了。

（3）既然东西又好又便宜，就多买一些吧。

六 阅读课文 Reading Comprehension

香烟广告模特儿的心里话

香烟中含有多种有毒物质，吸烟有害健康，这已被无数的事实所证明了。下面让我们来听听世界著名香烟广告模特儿说的心里话吧。

麦克拉伦是万宝路（Marlboro）香烟的广告模特儿，他在 Marlboro 香烟广告中的西部牛仔形象为世界各国的人们所熟悉，但是他最后却因吸烟而死于肺癌，年仅 51 岁。麦克拉伦临死前的最后一句话是"香烟会杀害你们！"

另一位香烟广告女模特儿的心里话，听了更会使人觉得一定不要吸烟。她说：

我已经 60 多岁了，如果能让我回到年轻时代，我决不会做香烟广告模特儿。因为这个工作给我的老年生活带来了深深的痛苦和懊悔。

记得在我 14 岁时，我当上了香烟广告模特儿。一家烟草公司要我为他们拍一张广告照片，照片上的我笑着站在一座雪山上，左手握着滑雪杆，右手手指间夹着一支烟，旁边有广告词"最美的感觉"。当时我不会滑雪，更不会抽烟。这家烟草公司的经理说："你要是会抽烟的话，夹烟、抽烟的样子就更有吸引力了。"于是，我便抽上了烟，而且越抽越多，越抽瘾越大。后来，我结婚了，有了孩子，也就不再干香烟广告模特儿工作了，可是当香烟广告模特儿时染上的烟瘾，却一直折磨着我。我从 51 岁起先后得过喉癌、肺癌。大夫切除了我的整个喉咙，从此，我不能说话了，也不能大声地笑了，甚至不能自由自在地呼吸了，这一切都是香烟造成的。我恨透了香烟。

现在我已经老了，每当我看见年轻姑娘抽烟时，就感到自己有责任劝告她们别抽烟。我无数次地向她们讲自己做香烟广告模特儿的经历，讲自己因为抽烟而得病的痛苦。我真想大声告诉她们：亲爱的姑娘们，别走我的路啊！

生词 New Words

1.	模特儿	（名）	mótèr	model
2.	著名	（形）	zhùmíng	famous
3.	心里话	（名）	xīnlǐhuà	one's innermost thoughts
4.	牛仔	（名）	niúzǎi	cowboy
5.	形象	（名）	xíngxiàng	image
6.	熟悉	（动）	shúxī	be familiar with
7.	临（死）	（介）	lín(sǐ)	just before（dying）
8.	杀害	（动）	shāhài	to murder
9.	懊悔	（动）	àohuǐ	to regret
10.	拍（照片）	（动）	pāi(zhàopiàn)	to take（photos）
11.	滑雪杆	（名）	huáxuěgǎn	ski pole
12.	手指	（名）	shǒuzhǐ	finger
13.	夹	（动）	jiā	to hold between two fingers or chopsticks
14.	吸引力	（名）	xīyǐnlì	appeal
15.	染（上）	（动）	rǎn(shàng)	to be tainted（with bad habits）
16.	折磨	（动）	zhémó	to torment
17.	喉咙	（名）	hóulóng	throat
18.	切除	（动）	qiēchú	to cut
19.	恨透		hèn tòu	to have a deep hatred
20.	劝告	（动）	quàngào	to advise

专名 Proper Nouns

1.	麦克拉伦	Màikèlālún	name of a person
2.	万宝路	Wànbǎolù	Marlboro

第九课 "安乐死"带来的不幸
Lesson 9

一 课文 Text

约翰两天没来上课了，因为他爷爷病了，他请假回去看望爷爷。

"他爷爷什么病？"苏姗问田中平。

"好像是肝癌，已经住了好几个月医院了。"

"听说肝癌病人非常痛苦，有的人到了肝癌晚期，希望医院能实施安乐死，但是医院都不同意。"

"据调查，社会上是有些人赞成安乐死，但是由于法律不承认，所以医院也没办法。昨天的中文报纸有一篇这方面的文章，丈夫帮助妻子实施安乐死，被法院判处三年徒刑。"

"文章的题目叫什么？"

"好像叫《'安乐死'带来的不幸》。"

苏姗下午来到阅览室，很快就找到了这篇文章。

"安乐死"带来的不幸

王祖安是个商店售货员，今年58岁。他跟林美英结婚30多年了，夫妻感情一直很好，生有一子一女。家里虽然不太富裕，但生活也过得和和美美。

俗话说，"天有不测风云"①。去年年底，林美英被一家大医院确诊为肝癌晚期，一家人陷入了极大的悲痛之中②。由于林美英是农民，没有医疗保险，而且又是晚期，没有治好的希望，只能拿些药在家里养着。几个月来，她经常疼痛难忍。她想安乐死，几次请求丈夫给她一些安眠药，但每次都被丈夫给③拒绝了。看到丈夫、子女为了照顾她，每天吃不好、睡不好④，她痛苦极了。

春节过完以后，林美英的身体一天不如一天。一天夜里，她再一次请求丈夫给她安眠药，帮助她结束痛苦。妻子那痛苦难忍的样子，王祖安实在看不下去⑤。但是夫妻感情又使他怎么也下不了决心去拿安眠药。⑥根据医生的诊断，林美英活着的时间不多了，最多⑦也就是十天半个月。既然没有任何生的希望了，与其看着她痛苦地煎熬，不如让她早点儿结束痛苦。⑧在妻子的一再要求下，他终于含着眼泪拿出了一小瓶安眠药。就这样，林美英安安静静地离开了自己的亲人，走完了她56年的人生道路。

林美英去世以后，她娘家兄弟姐妹都来了。他们提出，医生不是说还能活十天半个月吗？再说，病人临死以前为什么不告诉他们一声⑨？他们怀疑这里面有问题，于是就向公安机关报了案。王祖安也如实地向公安机关说明了情况。经过化验，证明林美英是吃了安眠药死亡的。

林美英死后的第二天，子女在整理母亲的东西时，发现一封林美英写给子女的遗书，意思是：我让你们的父亲帮助我实施安乐死，我完全是自愿的，因为这是我结束痛苦的最好办法。你们的父亲没有任何责任。你们一定要把情况向大家说清楚。

林美英死亡的案子清楚了，县人民法院认为，王祖安帮助妻子自杀，虽然是在妻子请求下实施的，是妻子为了结束痛苦自愿作出的决定，但是安乐死目前并⑩没有得到法律的承认。根据现在的法律规定，接受别人的请求，帮助别人自杀，仍然构成故意杀人罪，因此必须判处徒刑。

当王祖安听到自己被判处三年徒刑后，他表示服从，不上诉。

林美英也许连做梦也没想到，她结束痛苦离开亲人以后，却又给自己的亲人带来了新的不幸。

二 生词 New Words 🎧

1. 肝	（名）	gān	liver
2. 晚期	（名）	wǎnqī	later stage
3. 实施	（动）	shíshī	to carry out，to use
4. 安乐死	（动）	ānlèsǐ	euthanasia
5. 调查	（动，名）	diàochá	to investigate；investigation
6. 赞成	（动）	zànchéng	to agree with；to be in favour
7. 承认	（动）	chéngrèn	to recognize，to admit
8. 遗书	（名）	yíshū	letter or note left by one before one's death
9. 自愿	（动）	zìyuàn	to be of one's own free will
10. 判处	（动）	pànchǔ	to sentence
11. 徒刑	（名）	túxíng	imprisonment
12. 富裕	（形）	fùyù	rich
13. 天有不测风云		tiān yǒu bú cè fēng yún	Unexpected storms（figuratively，sudden misfortune）may come without one's knowledge.
14. 陷入	（动）	xiànrù	to get into（a difficult position）
15. 极（大）	（副）	jí(dà)	greatly
16. 悲痛	（形）	bēitòng	grieved，sorrowful
17. 之中		zhī zhōng	in，in the middle of
18. 农民	（名）	nóngmín	farmer，peasant

19. 保险	（形，名）	bǎoxiǎn	safe；insurance
20. 价值	（名）	jiàzhí	value
21. 养	（动）	yǎng	to recuperate
22. 疼痛	（形）	téngtòng	aching
23. 难忍		nán rěn	unbearable
24. 请求	（动）	qǐngqiú	to request
25. 安眠药	（名）	ānmiányào	sleeping pills
26. 拒绝	（动）	jùjué	to refuse
27. 下（决心）	（动）	xià(juéxīn)	to make up（one's mind）
28. 了	（动）	liǎo	to finish
29. 根据	（动）	gēnjù	base on
30. 诊断	（动）	zhěnduàn	to diagnose
31. 与其…不如…		yǔqí…bùrú…	not so much. . . as；it would be better. . . than
32. 煎熬	（动）	jiān'áo	to suffer
33. 一再	（副）	yízài	repeatedly
34. 终于	（副）	zhōngyú	finally，at last
35. 安静	（形）	ānjìng	peaceful
36. 人生	（名）	rénshēng	life
37. 娘家	（名）	niángjia	a married woman's parents' home
38. 兄弟	（名）	xiōngdì	brother
39. 临	（介）	lín	just before
40. 怀疑	（动）	huáiyí	to suspect，to doubt
41. 公安	（名）	gōng'ān	public security
42. 报案		bào àn	to report a case（to the security authorities）
43. 如实	（副）	rúshí	to give strict facts
44. 说明	（动）	shuōmíng	to explain
45. 化验	（动）	huàyàn	to give laboratory tests

46.	整理	（动）	zhěnglǐ	to put in order，to straighten out
47.	县	（名）	xiàn	county
48.	自杀	（动）	zìshā	to commit suicide
49.	并	（副）	bìng	(an adverb used before a negative word，as in "not…at all")
50.	构成	（动）	gòuchéng	to constitute
51.	故意	（副）	gùyì	deliberate
52.	杀	（动）	shā	to kill
53.	罪	（名）	zuì	crime
54.	服从	（动）	fúcóng	to obey
55.	上诉	（动）	shàngsù	to appeal to a higher court
56.	也许	（副）	yěxǔ	perhaps
57.	梦	（名）	mèng	dream

专名 Proper Nouns

| 1. | 王祖安 | Wáng Zǔ'ān | name of a person |
| 2. | 林美英 | Lín Měiyīng | name of a person |

三 功能 Functions

1. 表示论断的依据 biǎoshì lùnduàn de yījù

Grounds of inference

（根）据 a，b（b₁，b₂…）

（1）据调查，社会上许多人都赞成安乐死。

（2）据估计，今后学习汉语的人还会增加。

（3）根据交通法律的规定，喝酒以后不准开车。

经（过）a，b（b₁，b₂…）

（4）经过化验，证明她是吃了安眠药死亡的。

（5）经研究发现，环境污染主要来自工业生产。

（6）经讨论决定，我们班不参加这次比赛了。

2. 表示唯一的选择（1）biǎoshì wéiyī de xuǎnzé (1)

The only choice（1）

表示只能做出某种选择，这种选择往往是被迫的，不如人愿的。

It indicates that the undesirable choice was what one is forced to or has to make.

a（a_1，a_2…），只能 b（b_1，b_2…）

（1）她已经没有治好的希望了，<u>只能</u>拿些药在家里养着。

（2）飞机票太贵，我们<u>只能</u>坐火车去。

（3）这件事<u>只能</u>找他，别人决定不了。

3. 表示最大限度地估量 biǎoshì zuì dà xiàndù de gūliàng

Maximum estimation

a 最 b（＋也就是）c（c_1，c_2…）

（1）林美英活着的时间不多了，<u>最多也就是</u>十天半个月。

（2）他家离学校很远，<u>最快也要</u>两个小时才能到。

（3）李老师的年纪好像不大，看样子<u>最大也就</u> 40 岁。

4. 表示取舍（1）biǎoshì qǔshě (1)

Preference（1）

表示经过比较，说话人认为应舍弃前者，选取后者；或认为后一种说法更合适。

After a comparison，the speaker chooses the latter in preference to the former，or considers the latter a better way to say it.

与其 a（a_1，a_2…），不如 b（b_1，b_2…）

（1）<u>与其</u>看着她痛苦地煎熬，<u>不如</u>让她早点儿结束痛苦。

（2）<u>与其</u>让你来我这儿，<u>不如</u>我去你那儿方便。

（3）挣的钱那么少，<u>与其</u>出去打工，还<u>不如</u>在家学习外语。

与其说 a（a_1，a_2…），不如说 b（b_1，b_2…）

（4）<u>与其说</u>是没考好，<u>不如说</u>是没学好。

（5）<u>与其说</u>是自愿参加，<u>不如说</u>是必须参加。

（6）你的这些话，<u>与其说</u>是安慰她，还<u>不如说</u>是让她更着急。

5. 承接关系（3）chéngjiē guānjì（3）
Connective relation（3）

a（a_1，a_2···），就这样，b（b_1，b_2···）

（1）他终于含着眼泪给她吃了一小瓶安眠药。<u>就这样</u>，她安安静静地离开了亲人。

（2）面试通过了，<u>就这样</u>我当上了这家公司的秘书。

（3）他又爱上了别人，还经常和我吵架，<u>就这样</u>，我们终于在去年分手了。

6. 怀疑 huáiyí
Doubt

表示猜测或不相信。

The way to express one's conjecture or disbelief.

a 怀疑 b（b_1，b_2···）

（1）他们<u>怀疑</u>这里面有问题，于是向公安机关报了案。

（2）我<u>怀疑</u>他今天不会来了。

（3）有人<u>怀疑</u>这种说法，我也<u>怀疑</u>。

（4）对于是不是发生了这样的事，我表示<u>怀疑</u>。

7. 表示某种情况持续不变（1）biǎoshì mǒu zhǒng qíngkuàng chíxù búbiàn（1）
Remaining unchanged（1）

a（a_1，a_2···）仍然 b（b_1，b_2···）

（1）根据现在的法律，他<u>仍然</u>构成故意杀人罪。

（2）据说她现在<u>仍然</u>在医院工作。

（3）下课后，大家<u>仍然</u>在讨论这个问题。

四 注释 Notes

1. 天有不测风云

　　这是一句成语。"不测"是料想不到的意思，本来指自然界天气变化难以预料，后多比喻人有难以预料的灾祸。

　　This is a proverb. "不测" means "unexpected". The unpredictable weather change is figuratively used as a sudden misfortune that takes place out of one's expection.

2. 一家人陷入了极大的悲痛之中

"……之中"在这里表示一种状态。

"……之中" is used to describe a state.

例如 E.g. （1）谈判陷入到毫无价值的争论之中。

（2）冠军争夺战正在进行之中。

（3）那一对年轻人正处在热恋之中。

3. 但每次都被丈夫给拒绝了

同"把"字句中的"给"一样，在"被""叫""让"等组成的介词结构修饰动词时，动词前可以加"给"，表示被动，并起强调作用。

Just like in a "把" sentence, "给" can be used before a verb modified by a prepositional phrase formed with "被", "让" or "叫" to indicate the passive mood and emphasis.

例如 E.g. （1）这么好的花被她给养死了。

（2）老李被医院给确诊为心脏病。

（3）自行车叫弟弟给骑坏了。

4. 每天吃不好、睡不好

这儿"不好"是动词"吃""睡"的可能补语。动词后如有宾语，可放在可能补语后面。

Here "不好" is the negative form of the complement of possibility taken by such verbs as "吃" and "睡". The object, if any, should go after the complement.

例如 E.g. （1）这几天太热了，不少人睡不好觉。

（2）你看得清楚前面的汉字吗？

5. 王祖安实在看不下去

这里的"下去"是引申用法，表示动作状态的继续。

This extended use of "下去" denotes the continuation of an action or a situation.

例如 E.g. （1）他的朋友失了业，孩子经常吃不饱，他看不下去，常给孩子们送些吃的东西。

（2）这本书太没意思了，我只看了几页就看不下去了。

（3）天气再冷下去，我带来的衣服就不够穿了。

6. 但是夫妻感情又使他怎么也下不了决心去拿安眠药

这里的"怎么"表示任指，前面可用"不论、无论、不管"等，后面常用"也、都"呼应。

Here "怎么" is used for indefinite reference, possibly preceded by "不论", "无论" or "不

管" and followd by "也" or "都".

例如 E.g. （1）这支歌太难学了，我怎么也学不会。

（2）这种癌症怎么治也治不好。

（3）不管你怎么跟他说，他都不同意。

动词"了"有"结束、完"的意思，用在动词后做可能补语时，表示对动作行为能否完成或有无能力作出估计。

The verb "了", in the sense of "finish" or "complete", goes after the predicate verb as the complement of possibility which indicates the estimation of the possibility of an action or of somebody's ability.

例如 E.g. （1）这么多东西，你一个人吃得了吗？

（2）他没学过中文，这篇文章他翻译不了。

（3）明天晚上有音乐会你们去得了吗？

7. 最多也就是十天半个月

副词"最多"表示估计到最大数量，后面有数量词语。也可以表示估计到最高程度。可用于句中或句首，也说"至多""顶多"。

The adverb "最多" shows, the greatest in number, degree or quantity, usually followed by a numeral measure word phrase. It may appear at the beginning or in the middle of a sentence, and sometimes can be replaced by "至多" or "顶多".

例如 E.g. （1）这辆自行车最多值200块钱。

（2）那个孩子最多15岁。

（3）这个工作最多两个星期就能完成。

（4）丁文月病得什么也吃不下去，最多只能喝点儿水。

8. 与其看着她痛苦地煎熬，不如让她早点儿结束痛苦

连词"与其"常与"不如"用在复句的前后分句中，表示取舍关系，在经过比较之后，不选择前者而选择后者。

The conjunction "与其" is usually used with "不如" in different clauses of a complex sentence for comparison, by which the second choice is made rather than the first one.

例如 E.g. （1）与其以后做，不如现在做，早做完不是更好吗？

（2）与其给他写信，不如打电话，打电话快得多。

（3）与其花这么多钱修，不如买一个新的。

9. 病人临死以前为什么不告诉他们一声

这儿"声"做动量词，"告诉一声"意思是"告诉一下儿"。

Here "声" functions as a verbal measure word. "告诉一声" is equal to "告诉一下儿".

例如 E.g. （1）你走的时候叫我一声，咱们一起走。

（2）你去通知他们一声，明天的会不开了。

（3）刚才我听到警报器响了几声。

10. 但是安乐死目前并没有得到法律的承认

这里的"并"是副词，只用在否定词语前，以强调否定语气。

Here the adverb "并" only goes before negatives to strengthen the negative tone.

例如 E.g. （1）吸烟的害处他并不是不知道，而是下不了决心戒烟。

（2）我和他只是朋友，并无工作关系。

（3）他表哥去过中国，表妹并没有去过。

五 词语例解 Word Study

1. 养

（动 verb）

使身心恢复健康

Recover physically and mentally

（1）最近他身体不好，一直在家养着。

（2）老刘半年没上班了，在家养病呢。

饲养动物、培植花草

Keep pets or grow plants

（3）你家养猫养狗吗？

（4）退休以后，他除了上老年大学外，还在家养鱼养花。

生育

Give birth to a baby

（5）去年张太太又养了一个儿子。

2. 实在

（形 adjective）

（1）他这个人很实在，你有什么要帮忙的可以找他。

（2）说实在的，我不喜欢他这样做。

（副 adverb）

（3）我实在没有办法了，只好来请求你的帮助。

（4）林美英看到丈夫、子女为了照顾她，每天吃不好睡不好，她实在痛苦极了。

3. **终于**

（副 adverb）

（1）听完大夫的话，田中平终于决定把烟戒掉。

（2）等了三个月，问题终于解决了。

（3）经过调查和化验，林美英死亡的案子终于清楚了。

（4）在家养了半年，他身体终于好起来了。

4. **经过**

（名 noun）

（1）请你把案子的经过给大家介绍一下儿。

（动 verb）

（2）从办公楼到教室要经过图书馆。

（3）经过两个多月的努力，他终于找到一个工作。

（4）经过讨论，公司同意签订这份合同。

5. **也许**

（副 adverb）

（1）他今天也许来，也许不来。

（2）你再认真找一找，也许能找到。

（3）让他找一下儿校长，也许校长能帮助他解决。

六 阅读课文 Reading Comprehension

他是这样安乐死的

他叫约德，是一位 60 多岁的荷兰人。一年前他不幸得了一种医学史上极其少见的疾病，到目前为止，还没有任何药物能控制这种病情的发展。

约德很快就不能说话了，只能靠电脑和人们交流。后来，当他知道这种病最终会让他非常痛苦地死去时，一个念头突然出现，并且越来越坚定，这就是，与其被疾病折磨着痛苦而死，不如自己痛快地安乐而死。他想起了荷兰政府不久前通过的世界上第一个《安乐死法案》，于是，他写信给他的好朋友奥伦大夫，请他为自己实施安乐死。约德在信中说："我虽然不能选择出生时间，却为能自己选择死亡时间而感到幸福，它给了我力量，使我忘记了疾病给我带来的痛苦。"

奥伦大夫收到约德的请求信后，既矛盾又痛苦。作为大夫，他的责任就是治病救人，怎么能亲手处死一位病人呢？可是看着自己的好朋友在已经知道不能治好的情况下，被疾病折磨而死，也是很痛苦的。与有关人员进行了一系列认真研究后，他终于同意了约德的要求。

约德知道奥伦大夫同意为他实施安乐死后，得到了很大的安慰。他把自己的死亡时间定在他 63 岁生日那一天。

这一天来到了。

约德和他亲爱的妻子以及奥伦大夫在一起十分平静地"聊天"。过了一会儿，约德说："让我们别再耽误时间了。"——他这是让奥伦大夫作好实施安乐死的准备。接着，他又对妻子说："我将去天国了，以后你会在那儿找到我的。"——他这是在与妻子告别。

奥伦大夫先给约德注射了麻醉剂，只见约德很快就入睡了。奥伦又给约德注射了导致他死亡的药物。约德就这样安详而永远地与亲人告别了。

在约德安乐死的过程中，他的妻子一直忍受着极大的悲痛在他的身边。最后她说："我从没见过他那样安详，他不再有痛苦，这是对我最大的安慰。"

荷兰最高检察院宣布不追究奥伦大夫的责任。

以上就是纪录片《他自己选择死亡》的故事。

生词 New Words

| 1. | 电脑 | （名） | diànnǎo | computer |
| 2. | 念头 | （名） | niàntou | idea |

3.	坚定	（形）	jiāndìng	firm
4.	选择	（动）	xuǎnzé	to choose
5.	忘记	（动）	wàngjì	to forget
6.	矛盾	（形，名）	máodùn	contradictory；contradiction
7.	亲手	（副）	qīnshǒu	with one's own hands
8.	处死	（动）	chǔsǐ	to kill
9.	平静	（形）	píngjìng	calm
10.	聊天		liáo tiān	to chat
11.	耽误	（动）	dānwù	to delay
12.	天国	（名）	tiānguó	Heaven
13.	告别	（动）	gàobié	to say good-bye
14.	注射	（动）	zhùshè	to give an injection
15.	麻醉剂	（名）	mázuìjì	anaesthetic
16.	导致	（动）	dǎozhì	to lead to
17.	安详	（形）	ānxiáng	calm
18.	忍受	（动）	rěnshòu	to bear
19.	宣布	（动）	xuānbù	to announce
20.	追究	（动）	zhuījiū	to investigate
21.	纪录片	（名）	jìlùpiàn	documentary film

专名 Proper Nouns

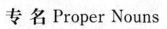

1.	约德	Yuēdé	name of a person
2.	荷兰	Hélán	the Netherlands
3.	《安乐死法案》	《Ānlèsǐ Fǎ'àn》	*Euthanasia Bill*
4.	奥伦	Àolún	name of a person
5.	最高检察院	Zuìgāo Jiǎncháyuàn	Supreme Procuratorate

第十课 Lesson 10　捡到钱怎么办

一　课文 Text 🎧

　　一个星期天，丁文月、田中平、林达三个人来到海边游泳、划船。他们玩儿了几个小时以后，觉得又渴又累，于是三个人就上了岸，坐在沙滩上，一边喝着饮料，一边晒着太阳。这时，坐在他们旁边的两个小伙子正在热烈地争论着：①

　　"我觉得这个妇女是个大傻瓜。钱是捡来的，不是抢来的，也不是偷来的。②应该说，你捡到钱，这是你的运气好，叫你赶上了。"一个高个儿的小伙子大声地说着。

　　"你这种看法，我很难同意。这钱本来就不是属于你的，如果你把捡来的钱看作是自己的，并且为此而感到高兴，③你是否想到，在你高兴的同时，丢钱的人会是多么着急和痛苦啊！说不定丢钱的人会因此倾家荡产。我们为什么要让人家那么痛苦呢？"矮个儿的小伙子说。

　　"如果丢钱的人会感到痛苦，那他怪不了④别人，谁叫他粗心大意呢？痛苦是他自己造成的，痛苦是对他粗心大意的一种惩罚。"

　　"不能这么说，丢钱不一定都是粗心大意造成的。"

118

两个人争论了一阵⑤，又一起游泳去了。

丁文月他们知道两个小伙子争论的是什么。因为昨天晚上电视节目报道了这么一件事儿：

不久前的一天，一个 40 岁上下⑥的普通农村妇女，在回家的路上，捡到一个黑皮包。她打开一看，里面有身份证一张，两万元存款单一张，现金一万多元。面对这天上掉下来的钱，⑦这个普通妇女想的是什么呢？"丢钱的人一定着急死⑧了。我得赶快把它送还给失主。"按照身份证上提供的地址，她骑了一个多小时自行车来到失主家。当皮包里的身份证、存款单和现金一样不少地出现在失主面前时，⑨失主感动得不知道说什么好。⑩他立即拿出五千元现金表示感谢，这个农村妇女微笑着摇摇头表示拒绝，然后骑上自行车回去了。

两个小伙子走了以后，丁文月他们三个人也议论了起来。

丁文月说："人嘛，还是应该有点儿同情心。你想想，如果钱是你丢的，你是希望别人能同情你，把钱送还给你，还是认为自己丢了钱活该呢？"

林达接着说："我是这样看的，社会还是应该提倡互相关心、互相帮助、助人为乐。你把钱交出来，你并没有失去什么⑪，而丢钱的人却可以免去许多痛苦，这有多好啊！"

"我也是赞成'我为人人，人人为我'这种精神的。但是各人的价值观念不同，做法自然也就不一样了。社会上哪能只有一种做法呢？捡到钱，主动交出来，自然值得赞扬，但是，只要不被发现，他不交出来，你也没有什么办法。"田中平发表自己的看法。

二 生词 New Words 🎧

1.	海	（名）	hǎi	sea
2.	划（船）	（动）	huá(chuán)	to row
3.	渴	（形）	kě	thirsty
4.	岸	（名）	àn	bank，shore
5.	沙滩	（名）	shātān	sand beach
6.	晒	（动）	shài	to be exposed to the sun，（of the sun）to shine upon
7.	太阳	（名）	tàiyáng	sun
8.	小伙子	（名）	xiǎohuǒzi	young man
9.	热烈	（形）	rèliè	warm，enthusiastic
10.	傻瓜	（名）	shǎguā	fool
11.	捡	（动）	jiǎn	to find，to pick up
12.	抢	（动）	qiǎng	to rob，to grab
13.	偷	（动）	tōu	to steal
14.	运气	（名）	yùnqi	luck
15.	赶（上）	（动）	gǎn(shang)	to be lucky enough to get，to get by chance
16.	大声		dà shēng	loud voice
17.	属于	（动）	shǔyú	to belong to
18.	并且	（连）	bìngqiě	and，moreover
19.	此	（代）	cǐ	this
20.	而	（连）	ér	(a particle used to connect two logical parts of the sentence)
21.	倾家荡产		qīng jiā dàng chǎn	to lose a family fortune
22.	矮	（形）	ǎi	short
23.	怪	（动）	guài	to blame
24.	粗心大意		cū xīn dà yì	careless

25.	（一）阵	（量）	（yí）zhèn	(a measure word)
26.	报道	（名，动）	bàodào	report；to report
27.	上下	（名）	shàngxià	around，about
28.	普通	（形）	pǔtōng	ordinary
29.	皮包	（名）	píbāo	leather handbag；portfolio
30.	里面	（名）	lǐmiàn	inside
31.	身份证	（名）	shēnfènzhèng	identity card
32.	存款单	（名）	cúnkuǎndān	document of deposit account, deposit paper
33.	现金	（名）	xiànjīn	cash
34.	天上	（名）	tiānshàng	sky，heaven
35.	失主	（名）	shīzhǔ	owner of lost property
36.	按照	（介）	ànzhào	according to
37.	提供	（动）	tígōng	to provide
38.	地址	（名）	dìzhǐ	address
39.	当…时		dāng…shí	at the time of，when
40.	样	（量）	yàng	(a measure word)
41.	出现	（动）	chūxiàn	to appear
42.	面前	（名）	miànqián	in the face of，in front of
43.	感动	（动）	gǎndòng	to be touched
44.	微笑	（动）	wēixiào	to smile
45.	摇（头）	（动）	yáo（tóu）	to shake（one's head）
46.	议论	（动）	yìlùn	to discuss，to talk about
47.	同情心	（名）	tóngqíngxīn	sympathy
48.	同情	（动）	tóngqíng	to sympathize
49.	活该	（动）	huógāi	to serve somebody right，to get what one deserves
50.	提倡	（动）	tíchàng	to encourage；to promote
51.	助人为乐		zhù rén wèi lè	It's a pleasure to help others.

52. 免去		miǎn qù	to save，to avoid
53. 我为人人		wǒ wèi rén rén	I care for everybody.
54. 人人为我		rén rén wèi wǒ	Everybody cares for me.
55. 观念	（名）	guānniàn	idea，concept
56. 主动	（形）	zhǔdòng	voluntary
57. 赞扬	（动）	zànyáng	to praise
58. 发表	（动）	fābiǎo	to express，to publish

三 功能 Functions

1. 某时发生某事（2）mǒu shí fāshēng mǒu shì（2）

Time and occurrence（2）

a（a₁，a₂…），这时（候），b（b₁，b₂…）

（1）他们坐在沙滩上，吃着喝着，晒着太阳，<u>这时</u>，坐在他们旁边的两个小伙子正热烈地争论着什么。

（2）吃完午饭，我正要去买东西，<u>这时候</u>，外边下起了雨。

（在）a 的同时，b（b₁，b₂…）

（3）捡到钱你很高兴，可是，<u>在你高兴的同时</u>，丢钱的人正为此着急和痛苦呢。

（4）<u>他学习汉语的同时</u>，还在学习专业课。

2. 客气地否定对方的说法（2）kèqi de fǒudìng duìfāng de shuōfǎ（2）

Polite refutation（2）

a（a₁，a₂…），我很难同意（b₁，b₂…）

（1）你这种看法，<u>我很难同意</u>。

（2）有人认为生不生孩子，生几个孩子完全是个人的问题。<u>我很难同意</u>这种看法。

a（a₁，a₂…）很难让人同意/接受。

（3）您这种想法<u>很难让人同意</u>。

（4）不去中国就学不好汉语，这种看法太绝对，<u>很难让人接受</u>。

3. 唤起注意（2）huànqǐ zhùyì (2)

Calling somebody's attention（2）

你是否想到，a（a₁，a₂···）

（1）你是否想到，在你为捡到钱而高兴的同时，丢钱的人会是多么着急和痛苦！

（2）你是否想到，找到自己满意的工作不是件很容易的事，能找到这样的工作应该感到高兴。

唤起对下面假设情况的注意。

Calling somebody's attention to the following supposition.

设想一下，如果 a（a₁，a₂···），（那么）b（b₁，b₂···）

（3）设想一下，如果丢钱的是你，那么你是希望别人把捡到的钱还给你，还是认为自己活该呢？

（4）我们设想一下，他如果不来，我们怎么办？

4. 客气地否定对方的说法（3）kèqì de fǒudìng duìfāng de shuōfǎ (3)

Polite refutation（3）

（好像）不能这么/这样说。（b₁，b₂···）

（1）"丢钱是他自己粗心大意造成的，活该！"

"不能这么说，丢钱不一定都是粗心大意造成的。"

（2）"便宜的东西一定不是好东西。"

"好像不能这样说，便宜的东西也有好的。"

5. 赞成/不赞成 zànchéng/bú zànchéng

Agree or disagree

赞成/不赞成 b（b₁，b₂···）

（1）我赞成"我为人人，人人为我"这种精神。

（2）社会上有许多人不赞成实施安乐死。

（3）我不赞成这种看法。

6. 叙述结构 xùshù jiégòu

Formation of a narration

叙述一件事情或讲叙一个故事，一般要交待时间、人物、地点、事件、经过、结果等六个方面的内容，构成叙述结构。这六个部分的叙述顺序前后可以有所变动。

In a narration or story-telling what should be made clear is the time，people concerned，place，event，course and result，all of which form a narration. The order of the six parts are changeable.

时间（shíjiān, time）：不久前的一天，……

人物（rénwù, people concerned）：一个农村妇女，……

地点（dìdiǎn, place）：在回家的路上，……

事件（shìjiàn, event）：捡到一个黑皮包，……

经过（jīngguò, course）：她骑车找失主，……

结果（jiéguǒ, result）：把钱交给了失主，……

四 注释 Notes

1. 坐在他们旁边的两个小伙子正在热烈地争论着

副词"正（在）"＋动词（或形容词）＋助词"着"表示动作在进行中或状态在持续中。动词如有宾语，要放在"着"后，没有否定式。

The structure of "正（在）" + verb（or adjective）+ particle "着" can be used to indicate the progress of an action of the continuation of a state. The object，if any，should go after the particle "着". There is no corresponding negative form of this sentence pattern.

例如 E.g. （1）老陈正在抽着烟看书。

（2）他正爱着一个姑娘。

（3）哥哥正忙着工作，不能马上回家。

2. 钱是捡来的，不是抢来的，也不是偷来的

用"不是……也不是……"来否定两方面的情况。

"不是……也不是……" can be used to negate two aspects.

例如 E.g. （1）他不是广州人，也不是上海人，他是西安人。

（2）我不是骑自行车去的，也不是坐汽车去的，而是走着去的。

3. 如果你把捡来的钱看作是自己的，并且为此而感到高兴

连词"并且"表示更进一层的意思，可以连接并列的动词、形容词等或连接分句。

The conjunction "并且" can be employed to connect a coordinating verb，adjective or a clause for further statement.

例如 E.g. （1） 他去图书馆借书并且还书。

（2） 这里的环境优美，并且十分安静。

（3） 吸烟不但对自己的身体有害，并且污染环境。

在"为……而"这一结构中，介词"为（为了）"表示目的，后面连词"而"起连接作用，多用于书面。

In the structure "为……而" the preposition "为" or "为了" that denotes the purpose is followed by the conjunction "而" for liaison，mostly used in written Chinese.

例如 E.g. （1） 医学家为研究治疗心脏病而辛勤工作。

（2） 那个人为保护自己的合法权益而上诉。

（3） 政府为提倡戒烟而对香烟征收高税。

4. 那他怪不了别人

动词"怪"是责备、埋怨的意思。"了"这儿做可能补语。"怪不了"即不能怪的意思。

The verb "怪" means "blame" or "complain". "了" here functions as a complement of possibility. "怪不了" suggests that somebody is not to be blamed.

例如 E.g. （1） 这事是他自己搞错的，怪不了别人。

（2） 我这次迟到应该怪公共汽车，怪不了我，因为公共汽车在半路上坏了。

（3） 这次考得不好，怪不了老师，只能怪自己没有复习好。

5. 两个人争论了一阵，又一起游泳去了

这儿"阵"是动量词，用于动词、形容词之后，表示延续一段时间的动词或状态，数量词多为"一"。

The verbal measure word "阵" usually goes after a verb or an adjective to indicate an action or a state continues for a while. The numeral is usually "一".

例如 E.g. （1） 雪下了一阵又停了。

（2） 今天的天气晴一阵阴一阵。

（3） 我受伤的腿一阵阵疼痛，实在难忍。

6. 一个40岁上下的普通农村妇女

"上下"这儿用在数量词后，表示比该数量稍多或稍少。

Here "上下" is used after a numeral measure word phrase to show an approximate number which is either slightly bigger or smaller than the one given.

例如 E.g. （1）这种手表大约要 200 块钱上下。

（2）今年报名参加暑期班的有 80 人上下。

（3）我猜这些东西也就 30 公斤上下。

7. 面对这天上掉下来的钱

"面对"是"当面对着"的意思。

"面对" means "in the face of".

例如 E.g. （1）面对好朋友，他说出了心里话。

（2）面对这些复杂的情况，经理让大家一起研究解决。

（3）面对困难，大家不要害怕。

"天上掉下来"表示出现意想不到的情况。

"天上掉下来" implies an unexpected situation.

8. 丢钱的人一定着急死了

这里的"死"是形容词，做程度补语形容达到极高的程度，句末多有语气助词"了"。

Here "死" is an adjective. It functions as a complement of degree，carrying the meaning of "extremity"，often with a modal particle "了" at the end of the sentence.

例如 E.g. （1）最近工作太多，忙死了。

（2）今年冬天冷死了。

（3）女朋友同意跟他结婚了，他高兴死了。

9. 当皮包里的身份证、存款单和现金一样不少地出现在失主面前时

"当……时/的时候"表示事件、状态发生的那个时间，在句中做时间状语。"当……时"中间必须有动词词组或小句，不能跟单独的时间词组合。

As an adverbial of time "当……时" indicates the time at which a thing or an action takes place. The structure should be inserted with a verbal phrase or a clause，and cannot be combined with a time word alone.

例如 E.g. （1）当人感到痛苦时，最需要精神安慰。

（2）当我回到家时，哥哥早已睡了。

（3）当他收到这封信时，他高兴得跳了起来。

10. 失主感动得不知道说什么好

"不知（道）……好"表示在一件事情面前想不出应该怎么说、怎么做。在"不知（道）"后面有疑问代词"怎么""什么""哪儿"等，"好"前还可以有副词"才"。

"不知（道）……好" describes a difficult situation in which one does not know what to say or what to do. "不知（道）" is often followed by interrogative pronouns such as "怎么"，"什么" and "哪儿". The adverb "才" may be used before "好".

例如 E.g. （1）电影、京剧都不错，我也不知道去看哪一个好。

（2）这学期你给了我很多帮助，我不知道怎么感谢你才好。

（3）遇到这种事我也不知道跟谁商量好。

"不知（道）……好" 还可以用做程度补语，说明动作达到的程度。

"不知（道）……好" may act as a complement of degree as well，indicating to what extent an action has reached.

例如 E.g. （4）这一消息使他高兴得不知说什么好。

（5）病人疼得不知道吃什么药好。

11. 你并没有失去什么

这里疑问代词"什么"表示一种不确指的事物。

The interrogative pronoun "什么" here denotes something unspecified.

例如 E.g. （1）我饿了，我想吃点儿什么。

（2）一个学期过去了，我没有学到什么。

（3）一会儿你就知道了，我不说什么了。

五 词语例解 Word Study

1. 本来

（形 adjective）

原有的

the original

（1）这件毛衣本来的颜色是红的，现在变成这个样子了。

（副 adverb）

原先

originally

（2）我本来不会中文，是去年才开始学的。

（3）他本来就不想去，现在下雨了，他更不会去了。

理所当然

It goes without saying

（4）这本来就是你的责任，你怎么能说别人呢？

（5）本来嘛，学好一种语言就应该付出很大的代价，不付出劳动哪能学好呢？

2. 人家

（代　pronoun）

指说话人和听话人以外的人，相当于"别人"

It refers to "others" —people other than the speaker and listener

（1）这钱是人家丢的，你应该把它还给人家。

（2）人家赞成是人家的事，你的看法是什么？

指某个人或某些人，所说的人前面已经提到，相当于"他"或"他们"

It refers to "he" of "they" —people mentioned previously

（3）他去医院看过大夫了，人家说这种病能治好。

（4）林达刚才来找你，你赶快给人家打个电话。

指说话人自己，相当于"我"

It is for self-reference; corresponding to "I"

（5）你说慢点儿，人家听不清楚你在说什么？

3. 掉

（动　verb）

（1）这是楼上掉下来的东西，你看是什么？

（2）他感动得掉下了眼泪。

（3）东西请拿好，别掉了。

（4）他身体不好，烟和酒都戒掉了。

（5）那些过去的不愉快的事我早已忘掉了。

4. 死

（动　verb）

（1）他十岁的时候爷爷就死了。

（2）林美英是吃安眠药死的。

（形　adjective）

（3）那儿有一只死猫，我们过去看看。

（4）门别关死，一会儿还有人要进来。

（5）这次考试他得了 100 分，高兴死了。

（6）上个月我忙死了，一天都没有休息。

5. 而

（连　conjunction）

连接意思相反的并列形容词、动词

It is used to connect coordinating adjectives or verbs opposite in meaning

（1）这种工作不错，花的时间少而收入多。

连接意思相反或相对的分句

It is used to connect clauses opposite or contrary in meaning

（2）我们系今天已经考完了，而他们系今天才刚刚开始考试。

连接互相补充的并列形容词

It is used to connect coordinating adjectives supplementing each other

（3）这是一个漂亮而又聪明的小姑娘。

把表示目的、原因、方式的成分连接到动词上

It is used to connect the verb with elements indicating purpose，reason or method

（4）我们不能因为钱是捡到的而不送还人家。

（5）这次你们考得很好，我为你们的进步而感到高兴。

六 阅读课文 Reading Comprehension

此地无银三百两

　　从前，有个叫张三的人，生活过得很简朴，省下了 300 两银子，高兴得不得了。他担心这么多银子放在家里不安全，想找个地方把它藏起来。可是藏到哪儿才安全呢？开始他把银子放在一个箱子里，外面又加上两把锁。过了一会儿，他又觉得不安全，要是有人连箱子一起偷走怎么办呢？想来想去，最后他决定把银子放在坛子里，然后把坛子埋到地下，这样最安全。

　　夜里，等人们都睡了以后，张三一个人在自己房屋的后面挖了个坑，把那个坛子埋了起来。他想想还有点儿不放心，就在埋银子的地方插了一块木牌，上面写着"此地无银三百两"。做完这一切，张三才觉得保险了。他哪儿知道，他挖坑、埋银子，早被邻居阿二全都看在眼里了。夜里，阿二等张三睡着了以后便来到张三的房屋后面，挖出那个坛子，偷走了里面的三百两银子。阿二怕被人发现自己偷了张三的银子，就在埋银子的地方也插了一块木牌，上面写着"邻居阿二不曾偷"。

　　这是一个民间故事，常用来比喻有的人所说的话或所做的事正好暴露了他所要掩盖的内容。

生词 New Words

1.	此地无银三百两	cǐ dì wú yín sān bǎi liǎng	No 300 taels of silver buried here —a stupid denial to invite trouble
2.	简朴	（形）	jiǎnpǔ	simple
3.	省	（动）	shěng	to save
4.	两	（量）	liǎng	(a measure word)
5.	银子	（名）	yínzi	silver
6.	安全	（形）	ānquán	safe
7.	藏	（动）	cáng	to hide
8.	箱子	（名）	xiāngzi	box
9.	锁	（名，动）	suǒ	lock; to lock
10.	坛子	（名）	tánzi	earthen jar
11.	埋	（动）	mái	to bury
12.	地下	（名）	dìxià	underground
13.	挖	（动）	wā	to dig
14.	坑	（名）	kēng	pit, hole
15.	木牌		mù pái	wooden sign

16.	不曾	（副）	bùcéng	never
17.	民间	（名）	mínjiān	folk
18.	暴露	（动）	bàolù	to expose
19.	掩盖	（动）	yǎngài	to cover

专名 Proper Nouns

| 1. | 张三 | | Zhāng Sān | name of a person |
| 2. | 阿二 | | Ā Èr | name of a person |

中国的社会习俗 （一）

一 课文 Text 🎧

　　经过一年多的学习，苏姗不但初步地掌握了汉语，对中国历史、中国文化也产生了浓厚的兴趣。她决定明年到中国再学一年汉语，进一步提高自己的听说读写能力。

　　苏姗经常听老师说，学习一种语言，必须同时了解那个民族的文化，否则，有时就会影响交际，甚至产生误会，导致交际的失败。在实践中，苏姗也有这方面的体会，因此，她除了努力学好汉语以外，一有空儿就喜欢跟汉语老师、中国留学生或去过中国的朋友谈论中国的一些日常生活习俗。

　　丁文月的哥哥丁文海在中国学了四年汉语，现在又在一家公司从事与中国有关的贸易工作，可以称得上①是个"中国通"了。周末或节假日，苏姗常到丁文月家来，她喜欢听丁文海介绍中国社会各方面的情况，也喜欢听他谈自己在中国学习时的亲身经历。

　　一次，丁文海说："在中国生活一段时间以后，你会发现中国有许多社会习俗跟西方的不一样。比如说，在西方，年龄、婚姻状况、工资收入以及家庭财产等许多个人的事儿是不谈论的。询问这

132

类事儿会被认为是干涉别人的私事，是不礼貌的。②但是，在中国，同学、同事、朋友之间，这些事儿却是时常谈起的话题。'吃饭了吗？''上哪儿去'？是中国老百姓常用的招呼语。'结婚了吗？''最近在忙什么呢？''天气冷了，注意身体啊！'等被看成是同事、朋友之间互相关心的表现。"

"当然，对不熟悉的人，对上级和师长随便询问个人的事儿也是不适宜、不礼貌的。有关性的问题，也是不谈论的，尤其是异性之间，更是不能谈论。"

"听说在请客吃饭方面也有一些不同，是吗？"苏姗问。

"中国人一般不轻易请人到自己家里吃饭。但是，一旦请了，就要作充分的准备。吃饭时，主人要主动为客人添饭夹菜。即使客人表示'不要了'，主人也还会一再劝让。"

苏姗感到奇怪，不好③理解，于是又问："为什么要这样做呢？"

"问题就在这个地方。西方人认为请客吃饭主要目④的不是为了吃饭，而是为了见见面、聊聊天、交换交换各自的看法。但是，中国人认为，既然是请客吃饭，那么让客人多吃、吃好是最重要的。饭菜不丰盛会被认为是丢面子的，而且也是对客人的不尊重。"

"这是不是人们所说的中国人'热情好客'的具体体现呢？"苏姗说。

"我想是这样的。西方人讲的是尊重个人的意愿，能吃多少吃多少，④不勉强别人，不劝吃劝喝。"

苏姗又问："那么，我们招待中国客人是不是也应该劝人家多吃多喝呢？"

"怎么做可以根据具体情况。但是有一点要注意，招待中国客人时，如果你问他们'来点儿什么呢？''再来一点儿，好吗？'他们常常会说'不用了''不要了'。"

听到这儿苏姗马上接着问："遇到这种情况怎么办？"

"他们说这话，一种可能是客气，不好意思说要；另一种可能是真的不要了。你可以多问两次，如果是真的不要了，那就算了⑤。"

二 生词 New Words

1.	初步	（形）	chūbù	preliminary, basic
2.	掌握	（动）	zhǎngwò	to master
3.	浓厚	（形）	nónghòu	great, strong
4.	进一步	（副）	jìnyíbù	further
5.	影响	（动，名）	yǐngxiǎng	to influence, to affect; influence
6.	甚至	（连）	shènzhì	even
7.	误会	（名，动）	wùhuì	misunderstanding; to misunderstand
8.	导致	（动）	dǎozhì	to lead to, to result in
9.	失败	（动）	shībài	to fail; failure
10.	实践	（动，名）	shíjiàn	to practise; practice
11.	体会	（名，动）	tǐhuì	experience; to realize
12.	从事	（动）	cóngshì	to work on, to be engaged in
13.	贸易	（名）	màoyì	trade
14.	称	（动）	chēng	to call; to be called
15.	中国通	（名）	zhōngguótōng	a China hand; an expert on China
16.	年龄	（名）	niánlíng	age
17.	状况	（名）	zhuàngkuàng	state, situation
18.	工资	（名）	gōngzī	wage, salary
19.	财产	（名）	cáichǎn	property
20.	询问	（动）	xúnwèn	to ask about
21.	类	（量）	lèi	sort, kind (a measure word)
22.	私事	（名）	sīshì	private affairs

23.	同事	（名）	tóngshì	colleague
24.	之间	（名）	zhījiān	between，among
25.	时常	（副）	shícháng	often
26.	话题	（名）	huàtí	topic of conversation
27.	老百姓	（名）	lǎobǎixìng	ordinary people
28.	招呼语	（名）	zhāohuyǔ	expressions used when friends meet
29.	表现	（动，名）	biǎoxiàn	to indicate；expression
30.	熟悉	（形）	shúxī	familiar
31.	上级	（名）	shàngjí	superior，higher authorities
32.	师长	（名）	shīzhǎng	teacher
33.	适宜	（形）	shìyí	appropriate，suitable
34.	尤其	（副）	yóuqí	especially
35.	异性	（名）	yìxìng	opposite sex
36.	轻易	（形）	qīngyì	easy，rash
37.	一旦	（副）	yídàn	once，in case，now that
38.	充分	（形）	chōngfèn	full
39.	主人	（名）	zhǔrén	host，owner，master
40.	添	（动）	tiān	to add
41.	夹	（动）	jiā	to pick up with chopsticks
42.	即使	（连）	jíshǐ	even if
43.	劝	（动）	quàn	to urge，to try to persuade
44.	奇怪	（形）	qíguài	strange
45.	聊天		liáo tiān	to chat
46.	交换	（动）	jiāohuàn	to exchange
47.	各自	（代）	gèzì	individual，each
48.	丰盛	（形）	fēngshèng	rich
49.	面子	（名）	miànzi	face
50.	好客	（形）	hàokè	hospitable
51.	体现	（动）	tǐxiàn	to embody，to reflect

52. 意愿	（名）	yìyuàn	wish
53. 勉强	（动，形）	miǎnqiǎng	to force；strained
54. 招待	（动）	zhāodài	to entertain
55. 不好意思		bù hǎoyìsi	embarrassed
56. 算	（动）	suàn	to count; followd by 了 to mean "let's forget it"（as in "算了"）

专名 Proper Nouns

| 1. 丁文海 | Dīng Wénhǎi | name of a person |
| 2. 西方 | Xīfāng | the West |

三 功能 Functions

1. 表示语意递进 biǎoshì yǔyì dìjìn

Semantic progress

用"也/还"表示除前面所说的意思之外，还有更进一层的意思。

With "也 or 还" additional points can be made to what was said previously.

⌐…不但 a（a₁，a₂…），也/还 b（b₁，b₂…）⌐

（1）苏珊不但初步掌握了汉语，对中国的历史和文化也产生了浓厚的兴趣。

（2）京剧不但中国人喜欢看，不少外国人也喜欢看。

（3）他不但请我吃了中国菜，还给我介绍了中国菜的做法。

（4）王教授不但是一位社会学家，还是一位音乐学家。

2. 表示进一步说明（2）biǎoshì jìnyíbù shuōmíng（2）

Further explanation（2）

用"甚至"引出突出的事例来进一步说明。

With "甚至" striking points can be made for further explanation.

⌐…（不但/不仅 a），甚至 b（b₁，b₂…）⌐

（1）不了解所学语言的文化，不但会影响交际，甚至会产生误会，导致交际的失败。

（2）这个故事很生动，不仅孩子喜欢听，<u>甚至</u>成年人也喜欢听。

（3）许多 50 多岁的人参加了游泳比赛，<u>甚至</u> 60 岁、70 岁的人也有。

3. 强调（1）qiángdiào（1）

Emphasis（1）

引进同类事物中需要强调的一个或几个。

Bringing in one or more of the similar things for emphasis.

a（a₁，a₂⋯），尤其（是）b（b₁，b₂⋯）

（1）有关性的问题也是不谈论的，<u>尤其是</u>异性之间。

（2）我的汉语还很差，<u>尤其是</u>听力。

（3）最近一直很热，<u>尤其</u>昨天和前天。

4. 表示假设（1）biǎoshì jiǎshè（1）

Hypothesis（1）

表示只要经过某个步骤或行为，就能够或应该产生相应的结果。

Corresponding results can be expected so long as a proper step or action is taken.

⋯<u>一旦</u> a（a₁，a₂⋯），（就）b（b₁，b₂⋯）

（1）中国人轻易不请人吃饭，<u>一旦</u>请了，就要作充分的准备。

（2）这次考试<u>一旦</u>不及格，明年的奖学金可就没有了。

（3）我<u>一旦</u>找到好的工作，首先告诉你。

5. 表示假设兼让步（1）biǎoshì jiǎshè jiān ràngbù（1）

Hypothesis and concession（1）

即使 a（a₁，a₂⋯），也/还 b（b₁，b₂⋯）

如果前后两部分指的是有关的两件事，那么前面常表示一种假设的情况，后面表示在这种情况下，结果或结论也还是不变。

If the two parts of the sentence refer to two different things, the first part generally indicates a hypothesis, and the second part indicates that under the given circumstance the result or conclusion would remain unchanged.

（1）吃饭时主人不断地给客人添饭夹菜，<u>即使</u>客人表示不要了，主人<u>也</u>还会一再劝让。

（2）明天不下雨，我们当然去；<u>即使</u>下雨，我们<u>也</u>要去，否则就没有机会了。

如果前后两部分指的是同一件事，那么后一部分表示在前面假设情况的基础上作退一步的估计。

If the two parts of the sentence refer to the same thing，the second part indicates a concessive estimation on the basis of the previous hypothesis.

（3）明天不会下雨，即使下雨也不会太大。

（4）参加短期留学的人不少，即使没有50人，也有30人。

四 注释 Notes

1. 可以称得上是个"中国通"了

这里的"上"是引申用法，用在动词后做可能补语，表示能或不能达到一定目的或标准。

Here "上" is used in an extended way after the verb as a complement of possibility，indicating the possibility to achieve one's goal or reach a level.

例如 E.g. （1）上海称得上是世界最大最有名的城市之一。

（2）他们俩称不上是好朋友，只是一般的朋友。

（3）他能当得上公司经理吗？

2. 询问这类事儿……是不礼貌的

"是……的"句还可以表示语气，用来表示说话人的看法、见解或态度。谓语一般是解释说明主语的。在不同句子中语气也不同，可以表示强调、肯定或态度坚决等。

"是……的" may be used in a tone which shows the speaker's viewpoint，opinion or attitude. Different sentences have different tones for emphasis，approval or a firm stand. The predicate generally explains the subject.

例如 E.g. （1）我朋友的婚姻是很幸福的。

（2）随着医学科学的发展，癌症将来是一定可以治好的。

（3）他非常坚决地说：我是不会去的。

有时用双重否定表示缓和或委婉的语气。

Sometimes double negation is employed to soften the tone or to give a mild statement.

（4）做任何事情不努力是做不好的。

（5）问题不是不能解决的，你不要着急。

3. 苏珊感到奇怪，不好理解

形容词"好"这里是"容易"的意思，用在动词前，其作用类似助动词。

As the equivalent of "easy"，the adjective "好" is put before the verb functioning as an auxiliary.

例如 E.g.　（1）这条路不好走，你别走这条路。

　　　　　　（2）今天学的这篇课文好懂。

　　　　　　（3）这种饭好做，我都会做。

4. 能吃多少吃多少

这是一个表示让步的紧缩句。意思是"不管你能吃多少，你都可以吃"。这里的"多少"是疑问代词，指不定的数量。

This is a contracted hypothetical sentence，meaning "eat as much as you can". Here "多少" is an interrogative pronoun for an indefinite amount.

例如 E.g.　（1）今天我只带了一百块钱，能买多少买多少吧。

　　　　　　（2）你身体不太好，不要勉强，工作能做多少做多少。

　　　　　　（3）这本书大家不一定要今天看完，能看多少看多少。

5. 那就算了

动词"算"有多种意思。这里"算＋了"表示作罢。

The verb "算" has many meanings. Here it is used in the sense of "let's forget it".

例如 E.g.　（1）这么贵啊，算了，别买了。

　　　　　　（2）他不想去算了，我们两个人去吧。

　　　　　　（3）算了，不要再说了，再说就没意思了。

五 词语例解 Word Study

1. 之间

（名　noun）

（1）东教学楼和西教学楼之间是办公楼。

（2）中国的春节一般在每年的一月和二月之间。

（3）他们两个人之间有点儿误会。

（4）王先生全家每年的收入大约在 15 万到 20 万元之间。

2. 尤其

（副　adverb）

（1）我很喜欢音乐，尤其喜欢古典音乐。

（2）弟弟每门课学得都很好，尤其是数学学得最好。

（3）抽烟对身体不好，尤其影响心脏。

3. 即使

（连　conjunction）

（1）明天即使下雨，我们也要去。

（2）大家一定要多练习说，即使说错了也没关系。

（3）他即使工作很忙，也坚持锻炼身体。

4. 好

（形　adjective）

表示优点多，使人满意

It means "good" or "satisfying"

（1）这是一个好办法，可以试试。

（2）这个女主人公演得很好。

表示健康，病愈，问候

It can be used for greetings or asking after someone's health

（3）约翰的病好了，明天就可以来上课了。

（4）我身体一直很好，你呢？

（5）你好，林小姐！

表示友好、亲爱

It expresses the speaker's friendly or intimate feeling

（6）我们俩是好朋友。

（7）她既是好女儿又是好妈妈。

用疑问形式征求对方意见

It is used to invite comments when appearing in an interrogative form

（8）一会儿我们一起去打网球，好吗？

（9）你等我几分钟好不好？我很快就回来。

表示某种语气

It expresses a certain tone

（10）好，今天的课我们就上到这儿。

（11）好，就按照你们说的办吧。

表示容易

It means "easy"

（12）这个问题很简单，好解决。

（13）今天的作业好做，一会儿就能做完。

用在动词后做结果补语，表示完成

It can be put after a verb as a resultative complement，indicating completion of an action

（14）饭做好了，吃饭吧。

（15）王先生，计划制定好了，你看看。

（副　adverb）

强调多或久

It means a great number or long time

（16）妹妹过生日时，收到好多礼物。

（17）我等了好久，他才来。

表示程度深

It means a high degree

（18）好漂亮的风景啊！我们多玩儿一会儿吧。

5. 让

（动　verb）

表示致使、容许、听任，必须带兼语

It should be used in a pivotal sentence in the sense of "cause"，"permit" or "let"

（1）妈妈让妹妹去买牛奶。

（2）对不起，我来晚了，让你久等了。

（3）你让我做吧，我会做好的。

表示礼让，或请人接受招待

It means hospitality or to entertain somebody

（4）客人来了，主人热情地让茶，吃饭时又不停地让吃让喝。

（5）公共汽车上，人们都给老人让座。

（介　preposition）

引进动作的施动者，常用于口语

It is used to introduce the performer of an action，often used in spoken Chinese

（6）词典让田中平拿走了。

（7）窗户让风刮开了。

六 阅读课文 Reading Comprehension

语言交际与习俗

学习一种语言，必须同时了解使用这种语言的民族的习俗和文化，否则就会影响交际的有效进行，甚至还会产生误会。

同样，学习汉语也必须同时了解中国的社会习俗和文化。历史悠久的中国，有许多习俗和观念与西方国家不同。例如，拜访他人之前要事先约定一下时间，这是许多国家的共同习惯。但是，传统上中国人对这一点就不那么严格。去看亲戚朋友、祝贺他人等，常常可以不用事先约定时间；邻居或同事之间的拜访也可以不必事先约定时间。不过，近些年来随着电话的增多和人们观念的改变，许多人也开始在拜访之前先打个电话，约一个时间，然后再去。告别的时候，客人常说"我该走了。"或"打扰您了，我该回去了。"主人则应挽留客人说"再坐会儿吧。""再聊会儿吧。"有时还要挽留客人在家里吃饭。当客人谢绝以后，主人要说"欢迎你有时间再来。"并要送客人到门外。这时客人要说"别送了，请留步。"主人常说"再见。"或"您慢走。"中国人认为，挽留客人，把客人送到门外，都是对客人热情和尊重的表现；而有些国家在告别时主人说一声"再见"就可以了。

在请客方面中国也有不少跟西方国家不同的地方。过去中国人一般不轻易请人到自己家吃饭，往往是为了感谢对方的帮助或自己有了什么好事才请客。一旦决定请客，就要作好充分的准备，往往几天前就开始准备，并事先邀请对方，对方一般要推辞一番才接受邀请。吃饭时，即使饭菜很丰盛，主人也要说"没什么好菜，请随便吃点吧。"客人则要说"做这么多的菜，您太客气了。""让您破费了，真不好意思。"主人和客人这样说，是自己谦虚和尊敬对方的表现。

过去中国人请客主要是为了表达心意，不只是为了见见面、聊聊天。

所以很重视吃，客人多吃多喝主人才高兴。与有些西方国家不同的还有，在中国，主人请客时是决不会让客人自己带饭菜的。请客人或朋友到饭馆吃饭时，也一定是主人付钱，而不能让客人或朋友自己付钱。吃饭时，主人和客人要每一种菜都吃，一般不能各吃不同的菜。

现在，中国人请客人或朋友吃饭越来越普遍，年轻人之间只是为了见见面、聊聊天而一起去饭馆吃饭也很普遍了。

生词 New Words

1.	使用	（动）	shǐyòng	to use
2.	悠久	（形）	yōujiǔ	long standing
3.	拜访	（动）	bàifǎng	to call on
4.	事先	（副）	shìxiān	beforehand
5.	约定	（动）	yuēdìng	to make an appointment
6.	严格	（形）	yángé	strict
7.	祝贺	（动）	zhùhè	to congratulate
8.	打扰	（动）	dǎrǎo	to bother
9.	挽留	（动）	wǎnliú	to urge someone to stay
10.	谢绝	（动）	xièjué	to decline
11.	留步	（动）	liúbù	don't bother to see me out
12.	邀请	（动）	yāoqǐng	to invite
13.	推辞	（动）	tuīcí	to decline
14.	破费	（动）	pòfèi	to go to some expense
15.	心意	（名）	xīnyì	kindly feelings

第十二课 中国的社会习俗（二）
Lesson 12

一 课文 Text

　　田中平送走①朋友后，一看表五点三刻了，他立刻拿起早已准备好的礼物朝②车库走去。今天是丁文月的生日，大伙儿约好六点钟在丁家见面。眼看时间来不及③了，他只好开车去。

　　路上汽车很多，田中平晚了十几分钟。他到的时候，大家已经到了。他把礼物送给丁文月以后，随便找个座位坐了下来。

　　丁文月打开礼物高兴地说："这本画报太好了，谢谢你。"这时丁文海对妹妹说："你这是西方人接受礼物的做法。中国人可不是这样的。"

　　几个人谈论的话题一下子④就转到了各国送礼的习俗上。丁文海说："送礼是人们交往中都有的习俗。但是在具体做法上，中国人和西方人却有很大的不同。

　　"中国人送礼时比较注意身份和礼物的质量。他们一般不会用自己做的小东西或者自己用过的东西送人。他们认为这样做是看不起对方，自己也会丢身份，被人家看不起。还有，中国人把礼物送给主人时，还常常会表示所送的东西不好，不值钱，而主人接受礼

144

物时，也往往要推辞一番⑤，表示不能接受。

"收下礼物后，中国人不是像西方人那样，当场把礼物打开赞扬一番，而是把礼物放到一边。"

苏姗问："为什么？"

"中国人认为这样做是对客人的尊重。他们觉得，如果当场打开，无非⑥是想看看礼物好不好。"

丁文月把蛋糕切开，几个人边吃边聊，话题一会儿又转到中国人是怎样对待赞扬的。丁文海说："在别人赞扬自己时，西方人一般用'谢谢'来回答。可是中国人却常用'哪里哪里''差得远呢'来回答以⑦表示谦虚。中国人认为，知识、学问是无止境的，越是有知识有学问越是要谦虚。无论⑧是做人还是做学问，如果一听到别人的赞扬就高兴得不得了，会被认为是修养不够的表现。如果你有机会听听中国学者的学术报告，你可能会听到'由于自己水平不高，准备得也不充分，今天就讲到这儿，浪费了大家不少时间，请原谅'之类谦虚的话。中国出版的书，作者在前言或后记中也常用类似的话。"

"是，我好像在哪儿⑨也见过。对了，在一本《初级汉语课本》的前言里就有这类的话。"林达插了几句，"由于对中国社会习俗不了解，有的西方人遇到这种情况时有些反感，觉得中国人这样做虚伪、不诚实。其实，这不能说是中国人的虚伪。社会习俗是一个国家、一个民族在长期的社会历史中形成的，不同的社会有不同的习俗嘛。"

"是这样，"约翰把话接了过来⑩，"去年我在中国，看到有家人家办丧事，穿的用的都是白色的，我很吃惊。在西方，结婚时新娘才穿白色的婚纱，因为白色象征纯洁。"

"在中国，结婚时新娘要穿红色的鲜艳的衣服。中国人认为红色象征幸福、吉利，因此，结婚、过年等一些喜庆、热闹的活动都要用红色。"丁文海补充了几句。

"你们看，丁文月今天的打扮可是中西结合啊。"田中平这么一说，大家才注意到，丁文月今天穿的是红色的衬衫、白色的长裙，显得非常漂亮。

二 生词 New Words 🎧

1.	立刻	（副）	lìkè	at once
2.	朝	（介）	cháo	towards
3.	大伙儿	（名）	dàhuǒr	everybody
4.	约	（动）	yuē	to make an appointment, to arrange in advance
5.	眼看	（副）	yǎnkàn	soon, shortly
6.	来不及	（动）	láibují	to be late for
7.	随便	（形，连）	suíbiàn	casual; as one pleases
8.	座位	（名）	zuòwèi	seat
9.	画报	（名）	huàbào	pictorical
10.	一下子	（副）	yíxiàzi	immediately, in a moment
11.	转	（动）	zhuǎn	to turn to
12.	交往	（动）	jiāowǎng	to associate, to contact
13.	身份	（名）	shēnfèn	status
14.	质量	（名）	zhìliàng	quality
15.	看不起	（动）	kànbuqǐ	to look down upon
16.	对方	（名）	duìfāng	the other side
17.	值钱	（形）	zhíqián	costly, valuable
18.	往往	（副）	wǎngwǎng	often
19.	推辞	（动）	tuīcí	to decline
20.	番	（量）	fān	(a measure word)

146

21.	当场	（名）	dāngchǎng	on the spot
22.	无非	（副）	wúfēi	simply，no more than
23.	切	（动）	qiē	to cut
24.	以	（连）	yǐ	in order to
25.	知识	（名）	zhīshi	knowledge
26.	学问	（名）	xuéwèn	learning
27.	止境	（名）	zhǐjìng	limit
28.	无论	（连）	wúlùn	whether（...or），no matter how（what/which）
29.	修养	（名）	xiūyǎng	training，cultivation
30.	学术	（名）	xuéshù	learning
31.	浪费	（动）	làngfèi	to waste
32.	出版	（动）	chūbǎn	to publish
33.	作者	（名）	zuòzhě	author
34.	前言	（名）	qiányán	preface
35.	后记	（名）	hòujì	postcript
36.	类似	（形）	lèisì	similar
37.	初级	（形）	chūjí	basic
38.	课本	（名）	kèběn	textbook
39.	反感	（形）	fǎngǎn	disgusted
40.	虚伪	（形）	xūwěi	hypocritical，false
41.	诚实	（形）	chéngshí	sincere
42.	其实	（副）	qíshí	in fact
43.	形成	（动）	xíngchéng	to form
44.	丧事	（名）	sāngshì	funeral
45.	吃惊		chī jīng	shocking，startled
46.	婚纱	（名）	hūnshā	wedding dress
47.	象征	（动）	xiàngzhēng	to symbolize
48.	纯洁	（形）	chúnjié	pure

49. 鲜艳	（形）	xiānyàn	bright-coloured
50. 吉利	（形）	jílì	lucky
51. 过年		guò nián	to celebrate the New Year
52. 喜庆	（形）	xǐqìng	jubilant
53. 补充	（动）	bǔchōng	to add to
54. 打扮	（动）	dǎban	to make up，to dress up
55. 中西	（名）	zhōngxī	Chinese and Western
56. 结合	（动）	jiéhé	to combine
57. 显得	（动）	xiǎnde	to look，to appear

三 功能 Functions

1. 表示某种情况即将发生（2）biǎoshì mǒu zhǒng qíngkuàng jíjiāng fāshēng（2）

Immediate occurrence（2）

表示某种行为或情况很快就要发生。

This is another way to indicate that something will take place right away.

> (a) 眼看（就要）b（b₁，b₂…）

（1）大伙儿约好六点钟见面，<u>眼看</u>时间就要到了，田中平只好开车去。

（2）圣诞节<u>眼看</u>就要到了，我们应该准备礼物了。

（3）<u>眼看</u>要下雨了，我们快点儿走吧!

2. 表示唯一的选择（2）biǎoshì wéiyī de xuǎnzé（2）

The only choice（2）

表示只能作出某种不得已的选择。

It indicates that the present choice has been made against one's own will.

> a（a₁，a₂…），只好 b（b₁，b₂…）

（1）大伙儿约好六点钟见面，眼看就要迟到了，田中平<u>只好</u>开车去。

（2）昨天没找到他，今天<u>只好</u>再去一次。

（3）张先生不懂法语，我<u>只好</u>用英语跟他说。

3. 表示随意biǎoshì suíyì

Free action

表示动作行为在方式、范围、时间、质量等方面没有特别的要求。

It indicates that one's action is not limited in terms of way，scope，time，quality，etc.

a（a₁，a₂…），随便 b（b₁，b₂…）

（1）田中平把礼物送给丁文月，随便找个座位坐了下来。

（2）你现在有时间吗？我想和你随便聊聊。

（3）我们先到附近的饭馆随便吃点什么，然后就去，行吗？

4. 表示条件和结果（1） biǎoshì tiáojiàn hé jiéguǒ（1）

Conditions and results（1）

表示在任何条件下，结论或结果都不变。

It indicates that under any conditions the conclusion or result would remain unchanged.

无论/不管 a（a₁，a₂…），都 b（b₁，b₂…）

（1）无论是做人还是做学问，都要谦虚。

（2）无论去不去，我都打电话告诉你。

（3）他不管遇到什么困难，都不想麻烦别人。

5. 反感fǎngǎn

Disgust

表示对人、事或某种现象的不满。

One's disgust can be expressed with people，things or phenomena.

a（对 b…）（很）反感，…

（1）我对他很反感，不想和他一起去。

（2）大家对这种情形很反感。

（3）我很反感劝吃劝喝的习惯。

6. 表述实情（2） biǎoshù shíqíng（2）

Describing the real situation（2）

a（a₁，a₂…），其实 b（b₁，b₂…）

（1）……其实这不能说是中国人的虚伪，这只能说明我们和中国人的习俗不同。

（2）他嘴上说不想去，其实他心里很想去。

（3）李教授对中国文化非常了解，很多人以为他去过中国，<u>其实</u>他并没有去过中国。

四 注释 Notes

1. 田中平送走朋友后

动词"走"可以做结果补语，表示"离开""去"的意思。

The verb "走" can be used as a resultative complement in the sense of "away" or "off".

例如 E.g. （1）同学借走了我的词典。

（2）今天寄走了两封信。

（3）弟弟要拿走报纸给爸爸看。

2. 他立刻拿起早已准备好的礼物朝车库走去

介词"朝"可以指出动作的方向或指出动作的对象。

The preposition "朝" refers to the direction of an action or the target it aims at.

例如 E.g. （1）你下车后朝南走不远就到了。

（2）奶奶朝着我和姐姐说："你们怎么这时候才到？"

（3）他朝窗外一看，雪越下越大了。

3. 眼看时间来不及了

"来不及"表示因时间短促，无法顾到或赶上。后面只能带动词。肯定式是"来得及"。

"来不及" can only be followed by a verb. It means to be impossible or to fail to do something due to the shortage of time. Its affirmative form is "来得及".

例如 E.g. （1）商店六点关门，现在去买东西来得及来不及？

（2）刚才我还来不及问他，他就走了。

（3）这个问题来不及讨论了，下次开会再说吧。

4. 几个人谈论的话题一下子就转到了各国送礼的习俗上

副词"一下子"表示动作发生或完成得快，或某种现象突然出现，后面常与"就"连用。多用于口语。

The adverb "一下子" is ususlly followed by "就" in spoken Chinese, describing the quick occurrence or completion of an action, or sudden appearance of a phenomenon.

例如 E.g. （1）见了面，我一下子就认出他来了。

（2）一到 6 月，天气一下子就热起来了。

（3）我一下子忘了这个字怎么念。

5. 也往往要推辞一番

这里"番"是量词，多用做动量词，数词多限于"一"和"几"。

Here "番" is a measure word mostly used for verbs. It is often used together with the numeral "一" or "几".

例如 E.g. （1）赞扬中国人时，他们总要谦虚一番。

（2）经过几番努力，事情终于有了结果。

（3）老师用英文讲了一番，我们才懂了这个句子的意思。

6. 无非是想看看礼物好不好

副词"无非"是"只不过是"的意思，表示没有什么特别的。

The adverb "无非" means "only" or "nothing but...".

例如 E.g. （1）他的早饭无非是面包、牛奶什么的。

（2）她找你，无非是为了聊聊天。

（3）他这样做，无非想表现一下他对你的关心。

7. 可是中国人却常用"哪里哪里""差得远呢"来回答以表示谦虚

这里连词"以"是文言虚词，用在两个动词词组中间，表示目的。

The conjunction "以" originates from the classical Chinese. When used between two verbal groups it serves as a connector of purpose.

例如 E.g. （1）我们应该努力治理污染以保护环境。

（2）我们要想出各种道理，以反驳对方。

（3）政府必须制定有关人口的政策，以控制人口的增长。

8. 无论是做人还是做学问

连词"无论"跟连词"不管"一样，表示在任何条件下结果或结论都不会改变，后边有"都"呼应。

Like "不管" the conjunction "无论" refers to the unchangeable result or conclusion under whatsoever conditions. It generally takes up a "都" or "也" in the latter part of the sentence.

例如 E.g. （1）比尔无论学习什么都很认真。

　　　　　　（2）他表示，无论困难有多么大，他都要把汉语学好。

　　　　　　（3）无论你同意还是不同意，学校都不会改变这个决定。

9. 我好像在哪儿也见过

代词"哪儿"这里是虚指，表示不确定的地方。

The unspecified pronoun "哪儿" means "a certain place".

例如 E.g. （1）刚才不知从哪儿打来一个电话，我一接声音没有了。

　　　　　　（2）我好像在哪儿也听过这个故事，现在想不起来了。

　　　　　　（3）昨天你没有到哪儿去走走吗？

10. 约翰把话接了过来

这儿"过来"用在动词后，表示人或事物随动作从一个地方到另一个地方。

"过来" often goes after a verb, indicating people or things move from one place to another when the action takes place.

例如 E.g. （1）孩子们跑过来了。

　　　　　　（2）烤鸭的做法是从中国介绍过来的。

　　　　　　（3）请你把东西拿过来。

五 词语例解 Word Study

1. 眼看

（副 adverb）

（1）眼看就要考试了，我还没开始复习呢。

（2）眼看天气就要冷起来了

（3）眼看商店就要关门了，快点儿吧。

2. 随便

（形 adjective）

（1）大家一边喝茶，一边随便聊天。

（2）他在家的时候，穿得很随便。

（3）说话不能随随便便，否则会被认为是修养不够。

（连 conjunction）

（4）随便什么电影，他都喜欢看。

"随便"还可以是一个词组，表示按照某人的方便

"随便" may also be used as a phrase, meaning "do as one pleases"

（5）明天上哪儿都可以，随你的便。

3. 往往

（副 adverb）

表示某种情况经常出现，不能用于将来的事情

It indicates the frequent occurrence of something and cannot be used for the reference of future

（1）我们往往在周末去跳舞。

（2）中国人收到礼物后往往要把礼物放到一边，不是当场打开赞扬一番。

（3）西方人对待赞扬往往用"谢谢"来回答。

4. 用……来……

"来"这儿是虚义，也可以不用

"来" has a very vague meaning, therefore it can sometimes be left out

（1）妈妈常常用饺子（来）招待客人。

（2）丁文月每天晚上都要用半个小时（来）听中文广播。

（3）上课的时候，遇到不好理解的句子，林教授常常用英文（来）解释。

5. 其实

（副 adverb）

（1）这个问题看起来很难，其实一点儿也不难。

（2）听口音像是北京人，其实他是上海人。

（3）大家只知道他汉语说得很好，其实他日语也说得非常好。

六 阅读课文 Reading Comprehension

中国人送礼的习俗

送礼是各国人民日常生活的共同习俗，是人们交往的一种需要。但是，

不同的国家送礼的方式和所送的礼物却很不相同。

在中国，新年或节假日拜访亲戚朋友时总要带点儿礼物，比如水果、点心或烟酒之类的东西。参加婚礼要送点儿实用的东西，也有送钱的。看病人要送些水果或营养品。亲戚朋友的孩子考上大学一般也要送些礼物或钱表示祝贺。不过，近些年来送礼的礼价越来越高，送的礼物也越来越贵重。送礼成了许多人的生活负担。

在中国，除了老年人的生日和孩子的第一个生日以外，其他的生日中国人是不太重视的，也没有送礼或寄生日卡的习惯。中国人送礼比较注意礼物的质量，除了孩子或中学生外，一般人是不会用自己做的礼物或自己用过的东西送人的。中国人认为那样做是很不礼貌的，既不尊重对方，也丢自己的面子。过去中国人没有送花的习惯，近年来由于受西方的影响，在城市里拜访亲戚朋友或看望病人时很多人也开始送花了。

中国人在送礼时跟西方国家一个很大的不同是，中国人不是一见面就拿出礼物，而是见面后把礼物放在一边，先问候一下主人最近的身体、工作或家庭情况，或先聊天儿，等要走的时候才把礼物送给主人。主人在接受礼物时也不像西方人那样，高兴地把礼物收下，并当场打开赞扬一番，表示喜欢；而是要先推辞一番，比如说"您太客气了，何必带礼物呢！""你的心意我领了，但礼物不能收。"等等。对于主人的推辞，客人不会认为主人不喜欢自己的礼物或看不起自己。这时候客人常常会说"东西不太好，只是表表心意。""您就收下吧，这只是我的一点儿心意。"中国人接受礼物时的推辞是对对方的尊重和有礼貌的表现。主人收下礼物后也要放在一边，而不是马上打开看看送的是什么东西。一般来说，客人也不希望主人当时就打开礼物。主人要等客人走了以后再打开礼物，并注意以后找机会回赠对方礼物。

生词 New Words

1.	方式	（名）	fāngshì	way
2.	实用	（形）	shíyòng	practical
3.	营养品	（名）	yíngyǎngpǐn	nutriment
4.	礼价		lǐ jià	money paid for gifts
5.	贵重	（形）	guìzhòng	valuable
6.	负担	（名）	fùdān	burden
7.	重视	（动）	zhòngshì	to attach importance to
8.	生日卡	（名）	shēngrìkǎ	birthday card
9.	礼貌	（名）	lǐmào	courtesy
10.	问候	（动）	wènhòu	to extend greetings to
11.	何必	（副）	hébì	unnecessarily
12.	领	（动）	lǐng	to appreciate
13.	回赠	（动）	huízèng	to send a gift in return

第十三课 中国人的姓名和称呼
Lesson 13

一 课文 Text 🎧

　　为了帮助同学们了解中国文化，学好汉语，中文系这学期要举行五次"中国文化讲座"。今天由张教授讲第一讲，题目为"中国人的姓名和称呼"。前来①听讲的人除了本系一、二年级的学生外，还有不少其他系选学汉语的学生。

　　"姓名是区别社会成员的一种符号。姓在前面还是名在前面，各国的叫法②不完全相同。中国人是姓在前名在后。"尽管来听讲座的人还在陆续地进场，但是张教授一看时间到了，准时开始了他的讲座。

　　"中国人的姓是怎么来的呢？姓最早来源于③母系氏族社会。你们看，'姓'字是由'女'字和'生'字组成的。姓的来源主要有这么几种：从母系社会流传下来④的，如带'女'字旁的姜、姚等；与远古时代图腾崇拜有关的，如熊、龙、牛、马等；以古代的国名、地名为姓的，如齐、宋、赵、秦⑤等；以官衔或职业的名称为姓的，如司马、陶⑥等。还有，有的姓和植物的名称一样，如杨、柳、叶、谷等；有的姓跟表示颜色的字相同，如黄、白、蓝等；有的姓，如萨、呼延等则是由少数民族姓名音译而来的。⑦总之，这些都反映了几千年来社会历史、经济、文化对姓的影响。"

"中国人到底有多少姓呢?"张教授刚说完就有人回答:"一百个,因为中国有本书叫《百家姓》。"张教授说:"中国是有一本叫《百家姓》的书。但是,这里的'百'不是一百的意思,而是表示多。实际上,《百家姓》里收集了500多个姓。据统计,中国历史上出现过的姓有五六千个,其中单姓最多。现代常用的姓只有几百个。在中国,姓什么的最多呢?有人可能会说姓'赵'的最多,因为《百家姓》里的第一个姓就是'赵'。《百家姓》是宋朝编的,宋朝的皇帝姓'赵'[8],所以百家姓的第一个姓是'赵'。根据几年前的统计,中国'李'姓最多,大约占全国人口的7.9%。换句话说,约有一亿人姓李。中国人常说'张、王、李、赵遍地流(刘)'[9],生动地形容了这五个大姓人数之多。"

"说到中国人的名字,那内容就更加丰富多彩、更加具有浓厚的中国文化特色了。中国人起什么名一般都由祖父母或父母等长辈来决定,或请有学问的师长、朋友来起。男子大多喜欢用表示勇敢、光明、长寿的字,例如龙、虎、明、健、寿等。女子起名多用表示温柔、美好、纯洁的字,如美、英、丽、花、月等。中国人历来有注重个人修养和爱国的传统,因此用'德''孝''忠'起名的不少,叫'兴华''振华''国富''国强'的也很常见。不过随着时代变化,中国人名字用字也越来越丰富,越来越个性化了。目前在姓名方面存在的主要问题是:单名越来越多,同名同姓的比例很大。叫'李华'的人,全国可能就有几万人。这给社会带来了许多的麻烦。"

"中国人的称呼,常用的是在姓的后面加上'先生、小姐、女士',例如'王先生''赵小姐'。还有一种是姓后面加上官衔或职称,如'刘校长''李教授'。熟人之间可根据年龄大小叫'老林'

'小丁'。只有长辈、老师、上级领导或熟人才能直接叫对方的名字。⑩"

讲座进行了一个多小时，受到了同学们的热烈欢迎。

二 生词 New Words 🎧

1.	学期	（名）	xuéqī	academic term
2.	区别	（动）	qūbié	to distinguish
3.	成员	（名）	chéngyuán	member
4.	符号	（名）	fúhào	sign, symbol
5.	前面	（名）	qiánmiàn	front
6.	叫法	（名）	jiàofǎ	the way it is called
7.	相同	（形）	xiāngtóng	same
8.	陆续	（副）	lùxù	successively
9.	进场		jìn chǎng	to enter
10.	准时	（形）	zhǔnshí	punctual
11.	来源	（动，名）	láiyuán	to originate; origin
12.	母系	（形）	mǔxì	matriarch
13.	氏族	（名）	shìzú	clan
14.	流传	（动）	liúchuán	to hand down
15.	…字旁		…zì páng	side of a Chinese character, radical
16.	远古	（名）	yuǎngǔ	remote antiquity
17.	时代	（名）	shídài	age, era
18.	图腾	（名）	túténg	totem
19.	崇拜	（动）	chóngbài	to worship
20.	官衔	（名）	guānxián	official title
21.	职业	（名）	zhíyè	profession
22.	名称	（名）	míngchēng	name

23.	植物	（名）	zhíwù	plant
24.	则	（助）	zé	(a particle)
25.	由…而…		…yóu…ér	because…
26.	总之	（连）	zǒngzhī	in short，in a word
27.	反映	（动）	fǎnyìng	to reflect
28.	到底	（副）	dàodǐ	after all，finally
29.	实际	（形）	shíjì	real，in fact
30.	收集	（动）	shōují	to collect，to put together
31.	单（姓）	（形）	dān(xìng)	single-character（surname）
32.	编	（动）	biān	to compile
33.	皇帝	（名）	huángdì	emperor
34.	遍地	（副）	biàndì	everywhere，all places
35.	换句话说		huàn jù huà shuō	in other words
36.	形容	（动）	xíngróng	to describe
37.	更加	（副）	gèngjiā	even more
38.	丰富多彩		fēngfù duō cǎi	rich and varied
39.	具有	（动）	jùyǒu	to possess
40.	特色	（名）	tèsè	characteristic
41.	起（名）	（动）	qǐ(míng)	to name，to give（a name）
42.	长辈	（名）	zhǎngbèi	senior member of a family
43.	勇敢	（形）	yǒnggǎn	brave
44.	光明	（形）	guāngmíng	bright
45.	虎	（名）	hǔ	tiger
46.	温柔	（形）	wēnróu	gentle and soft
47.	历来	（名）	lìlái	always
48.	注重	（动）	zhùzhòng	to attach importance to
49.	爱国		ài guó	patriotism；to love one's country
50.	忠	（形）	zhōng	loyal
51.	女士	（名）	nǚshì	lady

52. 职称	（名）	zhíchēng	title of one's professional post
53. 大小	（名）	dàxiǎo	difference of age, generation or size
54. 熟人	（名）	shúrén	acquaintance
55. 只有	（连）	zhǐyǒu	only
56. 领导	（名，动）	lǐngdǎo	leader; to lead
57. 直接	（形）	zhíjiē	direct

专名 Proper Nouns

1. 姜	Jiāng	(a surname)
2. 姚	Yáo	(a surname)
3. 熊	Xióng	(a surname)
4. 龙	Lóng	(a surname)
5. 齐	Qí	(a surname)
6. 宋	Sòng	(a surname)
7. 赵	Zhào	(a surname)
8. 秦	Qín	(a surname)
9. 司马	Sīmǎ	(a surname)
10. 陶	Táo	(a surname)
11. 柳	Liǔ	(a surname)
12. 叶	Yè	(a surname)
13. 谷	Gǔ	(a surname)
14. 白	Bái	(a surname)
15. 蓝	Lán	(a surname)
16. 萨	Sà	(a surname)
17. 呼延	Hūyán	(a surname)
18. 《百家姓》	《Bǎijiā Xìng》	*A Collection of Surnames*
19. 宋朝	Sòngcháo	Song Dynasty
20. 兴华	Xīnghuá	(name of a person)
21. 振华	Zhènhuá	(name of a person)

22.	国富	Guófù	(name of a person)
23.	国强	Guóqiáng	(name of a person)
24.	李华	Lǐ Huá	(name of a person)

三 功能 Functions

1. 来源（1）láiyuán（1）

Origin（1）

表示从何处而来。

The following pattern shows where something comes from.

> a 来源（于）b（b₁，b₂…）

（1）中国人的姓最早来源于母系社会。

（2）文学和艺术都来源于现实生活。

（3）正确的评价来源于对情况的了解。

2. 构成 gòuchéng

Formation

> 由 b₁，b₂…组成/构成（的）

（1）"姓"字是由"女"字和"生"字构成的。

（2）我们班由十名男同学和八名女同学组成。

> b₁，b₂…组成/构成（了）a

（3）无数个细胞组成了人体，无数个家庭构成了社会。

3. 总括上文（1）zǒngkuò shàngwén（1）

Brief summary（1）

对上文进行概括总结，或给出概括性的结论。

A brief summary is the conclusive statement made of the foregoing passage.

> a（a₁，a₂…），总之，b（b₁，b₂…）

（1）……总之，这些都反映了社会历史和经济文化等对"姓"的影响。

（2）对这件事，有人赞成，有人反对，有人怀疑，总之，每个人都有自己的看法。

（3）王红今天有事，黄平感冒了，李雪突然收到面试的通知，<u>总之</u>，他们今天都来不了了。

4. 表述实情（3）biǎoshù shíqíng（3）

Describing a real situation（3）

> a（a₁，a₂…），实际上，b（b₁，b₂…）

（1）<u>实际上</u>，《百家姓》里收集的不是一百个姓，而是 500 多个姓。

（2）毕业这么多年了，<u>实际上</u>我已经把他忘了。

（3）对于中国人这种请客时一再劝吃劝喝的做法，<u>实际上</u>我是很反感的，但我能理解这是一种热情好客的表现。

5. 表示换个说法 biǎoshì huàn ge shuōfǎ

In other words

对上文所说的情况换个说法，或换个角度来说明。

Put the previous statement in another way, or explain it from another angle.

> a（a₁，a₂…），换句话说，b（b₁，b₂…）

（1）在中国，"李"姓最多，约占 7.9%。<u>换句话说</u>，姓"李"的人在中国最多，大约有 1 亿。

（2）我弟弟总是粗心大意，<u>换句话说</u>，他做什么事情都不那么认真。

（3）他已经上班几个月了，<u>换句话说</u>，他早就找到工作了。

6. 转换话题（1）zhuǎnhuàn huàtí（1）

Changing a topic（1）

承接上文，引进新话题。

A new topic may be brought up in connection with the foregoing passage.

> …说到 a（a₁，a₂…），b（b₁，b₂…）

（1）<u>说到</u>中国人的名字，那就更有中国文化特色了。

（2）A：听说罗杰明年准备去中国留学。

　　B：<u>说到</u>留学我想起一件事，罗西圣诞节要回国，我们请他谈谈在中国的留学情况怎么样？

（3）<u>说到</u>送礼，中国人的想法和做法跟我们很不一样。

7. 表示唯一的条件 biǎoshì wéiyī de tiáojiàn

The only condition

表示只有在某一唯一条件下，才能出现某种情况或结果。

Only under such a condition can the situation or result appear.

> 只有 a（a₁，a₂…），才 b（b₁，b₂…）

（1）在中国，一般只有长辈、老师、熟人或上级才能直接叫对方的名字。

（2）只有你去请他，他才能来。

（3）只有在周末我才能见到她。

四 注释 Notes

1. 前来听讲的人

"前来"或"前去""前往"表示到某处做某事，多用于书面语。

"前来""前去" or "前往" is often used in written Chinese to indicate going to a place to do something.

例如 E.g. （1）从早上开始，前来买票的人就挤满了大厅。

（2）我国代表团前去贵国访问。

（3）病人前往医院治疗。

2. 各国的叫法不完全相同

"法"是方法的意思，一些动词（多为单音节）加"法"构成名词。

"法" here means "method". A noun can be formed by combining "法" with some verbs, especially monosyllabic ones.

例如 E.g. （1）这种做法很好。

（2）汉字的写法比较复杂。

（3）请你教我太极拳的打法。

3. 姓最早来源于母系氏族社会

介词"于"用在动词后面，这里表示处所、来源，是"在""从""自"的意思。

The preposition "于" is used after a verb, denoting locality or origin.

例如 E.g. （1）这种汽车产于日本。

（2）他哥哥去年毕业于北京大学。

（3）这个故事来源于古代的历史传说。

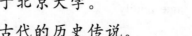

4. 从母系社会流传下来的

这里的"下来"是引申用法，表示动作从过去继续到现在。

The extended "下来" indicates that an action has been going on till now.

例如 E.g. （1）参加五千米长跑比赛的运动员都坚持下来了。

（2）这件衣服是奶奶留下来的，已经有40年了。

（3）在这儿，古代的很多社会习俗都保留下来了。

5. 如齐、宋、赵、秦等

齐、宋、赵、秦这些都是战国时期（公元前403～公元前221年）的国名。

"齐"，"宋"，"赵"，and "秦" were names of kingdoms in the Warring States Period（403 BC - 221 BC).

6. 如司马、陶等

"司马"为古代的官名，西周时开始设置，后历代沿用，掌管军政和军赋。

"司马" was an official title that was first used in the Western Zhou and continued in later dynasties，An official thus honoured was in charge of military affairs and taxes.

"陶"这里为制陶业。

"陶" here refers to pottery making.

7. 如萨、呼延等则是由少数民族姓名音译而来的

"则"这儿是副词，用于书面。"则"有多种意思，这儿相当于"就"。

The adverb "则" is used in written Chinese. Here it is equal to "就".

"由……而来"表示来源或由来。

"由……而来" indicates an origin or a source.

例如 E.g. （1）这项规定由有关法律而来。

（2）他的汉语水平能提高得这么快，是由刻苦努力学习而来的。

8. 宋朝的皇帝姓"赵"

赵匡胤于公元960年建立宋朝（960～1279）。他是宋朝的第一个皇帝。由于封建帝王都是世袭的，所以宋朝的皇帝都姓赵。

Zhao Kuangyin, the first emperor of the Song Dynasty（960 - 1279）took power in 960. All the emperors had the same surname of "Zhao" in the Song Dynasty, because the throne was succeeded by descendants of the same family.

9. 张、王、李、赵遍地流（刘）

这是一句俗语，利用"流"和"刘"同音，生动地形容了在中国姓这五大姓的人很多很多，像流水一样，到处都有。

In this saying "流" and "刘" are homonyms. With the pun it vividly describes how widely the Chinese with the five common surnames inhabit，like flowing water that stops nowhere.

10. 只有长辈、老师、上级领导或熟人才能直接叫对方的名字

连词"只有"常与副词"才"连用，"只有"表示唯一的条件。

The conjunction "只有"，meaning the only condition，is often used with the adverb "才".

例如 E.g.　（1）只有学好汉语，才能更好地了解中国。

　　　　　（2）只有你去请他，他才会来。

五 词语例解 Word Study

1. 尽管

（副　adverb）

（1）有什么问题你尽管问，不要客气。

（2）大家有意见尽管提。

（连　conjunction）

（3）尽管天气不好，他们还是去爬山了。

（4）他尽管不学习汉语，但是他对中国文化很感兴趣。

2. 到底

（副　adverb）

用于疑问句，表示进一步追究。用在动词、形容词或主语前

It is used before a verb，an adjective or the subject of an interrogative sentence for further inquiry

（1）那个人到底是谁？

（2）问题到底解决了没有？

如果主语是疑问代词，"到底"只能用在主语前

"到底" can be put only before the subject if the subject is an interrogative pronoun

（3）到底谁去？

（4）到底哪本书好？

用于陈述句，说明某种情况最终还是发生了

When used in a declarative sentence，it implies that something has taken place at last

（5）经过一番努力，他们到底还是赢得了那场篮球比赛。

（6）等了你半天，你到底来了。

强调原因或特点

It emphasizes reason or characteristic

（7）他到底有经验，很快就解决了问题。

（8）到底是孩子，你说什么道理他也不太懂。

3. 具有

（动　verb）

"具有"的宾语多为抽象事物

The objects of "具有" are mostly abstract

（1）这是一场具有国际水平的足球比赛。

（2）世界上每个民族都具有自己的特点。

（3）对学好汉语，我始终具有坚定的信心。

4. 一般

（形　adjective）

（1）这个电影我觉得很一般。

（2）一般的词典都能查到这些词。

（3）星期六晚上我一般都不在家。

（4）这儿的学生，一般都会开车。

5. 只有

（连　conjunction）

表示唯一的条件，后面多用副词"才"呼应

It indicates the only condition often followed by the adverb "才"

（1）只有他妈妈才会这样照顾他。

（2）只有改变你的学习方法，你的学习成绩才能提高。

（3）只有了解那个国家的社会习俗才能更好地跟那个国家的人进行交往。

六 阅读课文 Reading Comprehension

中国人的姓名和称谓

中国是一个人口大国，但在十几亿人中，常用的姓只有100多个。据最新的调查统计表明，全国人数最多的前十个姓是：李、王、张、刘、陈、杨、赵、黄、周、吴。

中国人的姓名包括姓和名两部分，姓在前，名在后。姓随父亲的姓，也有极少数随母亲的姓。中国人的姓名一般都有某种文化含义，表明某种理想或愿望。但是，在历史上中国妇女的地位比较低，许多没有机会上学的女人连名字也没有。女人结婚后要在自己的姓前加上丈夫的姓，在两个姓的后面加上一个"氏"字就算做姓名了，如李王氏、张刘氏。1949年新中国成立后，中国政府提倡男女平等。随着教育的普及和全民族文化水平的提高，妇女参加工作的机会越来越多，女人不但有了名字，而且结婚后仍然姓原来的姓，而不在原有的姓前加上丈夫的姓了。

在称呼人时，除了长辈对晚辈、老师对学生以及年龄差不多的熟人之间，可以直接叫姓名或名字外，一般不能直接叫对方的姓名或名字，否则被认为是不礼貌的。如果称呼不认识的某人，可以称"同志、先生、小姐"。如果知道对方的姓或姓名，可以在姓或姓名后面加上"同志、先生、小姐、女士"，例如：李四海同志、王先生、张红小姐、赵丽女士。也可以在姓或姓名后加上对方的官衔或职称，如黄校长、刘建国教授、周大夫。熟人之间也可以在姓前加上"老"或"小"来称呼，如老黄、小丁。除此之外，称学生为"同学"，如：李平同学；称儿童为"小朋友"或"小同学"；对一般工人或司机等称"师傅"。有时实在不知道该怎么称呼，还可以用问候语代替称呼语，如：你好！（请问去火车站怎么走？）

值得注意的是，新中国成立后，"同志"作为称谓词，在50至70年代曾广泛使用。称呼男的、女的、年龄大的、年龄小的都可以。年龄大的可以叫"老同志",年龄小的叫"小同志"。80 年代以后虽然也使用,但由于种种原因已经不如过去用得那么多了。特别是外国人如果用"同志"来称呼中国人,中国人会觉得不太习惯。和"同志"一样,"爱人"作为夫妻之间的称谓词也很有时代特色。从 50 年代开始,中国提倡男女平等,一些对妇女有歧视色彩的称谓词,如"屋里的、做饭的"等不再广泛使用。现在广泛使用"爱人"一词来称呼丈夫或妻子。应注意的是,"爱人"没有英语里 lover(情人)的意思,只是指丈夫或妻子。

生词 New Words

1.	包括	(动)	bāokuò	to include
2.	随	(动)	suí	to follow
3.	某	(代)	mǒu	certain
4.	含义	(名)	hányì	implication,meaning
5.	愿望	(名)	yuànwàng	wish
6.	氏	(名)	shì	surname,nee (for a married woman it can be used after her family name that she had when she was born and her husband's surname)
7.	算做		suàn zuò	to be considered as
8.	普及	(动)	pǔjí	to popularize
9.	差不多	(形)	chàbuduō	about the same
10.	同志	(名)	tóngzhì	comrade
11.	司机	(名)	sījī	driver
12.	师傅	(名)	shīfù	master
13.	问候语	(名)	wènhòuyǔ	greeting
14.	代替	(动)	dàitì	to substitute
15.	称谓词	(名)	chēngwèicí	appellation
16.	年代	(名)	niándài	years,time

| 17. 广泛 | （形） | guǎngfàn | wide |
| 18. 色彩 | （名） | sècǎi | colour，tint |

专名 Proper Nouns

1. 李四海	Lǐ Sìhǎi	name of a person
2. 张红	Zhāng Hóng	name of a person
3. 赵丽	Zhào Lì	name of a person
4. 李平	Lǐ Píng	name of a person

词汇总表
Vocabulary

A

癌症	（名）	áizhèng	6
矮	（名）	ǎi	10
艾滋病	（名）	àizībìng	7
爱国		ài guó	13
爱好	（名，动）	àihào	2
爱情	（名）	àiqíng	2
安静	（形）	ānjìng	9
安乐死	（动）	ānlèsǐ	9
安眠药	（名）	ānmiányào	9
安慰	（名）	ānwèi	7
岸	（名）	àn	10
按照	（介）	ànzhào	10

B

白天	（名）	báitiān	8
半	（数）	bàn	3
包	（量）	bāo	8
保护	（动）	bǎohù	6
保留	（动）	bǎoliú	5
保险	（形，名）	bǎoxiǎn	9
报案		bào àn	9
报道	（名，动）	bàodào	10
报告	（名，动）	bàogào	1
悲痛	（形）	bēitòng	9
被动	（形）	bèidòng	8
被迫		bèi pò	6
比例	（名）	bǐlì	1

比喻	（名，动）	bǐyù	1
编	（动）	biān	13
变	（动）	biàn	6
遍（地）	（形）	biàn(dì)	13
表明	（动，名）	biǎomíng	8
表现	（动）	biǎoxiàn	11
别看	（连）	biékàn	6
别人	（代）	biéren	3
并	（副）	bìng	9
并且	（连）	bìngqiě	10
病人	（名）	bìngrén	7
驳回	（动）	bóhuí	5
不断	（副）	búduàn	4
不过	（副）	búguò	2
不见得	（副）	bújiànde	5
不利	（形）	búlì	8
不幸	（形）	búxìng	7
补充	（动）	bǔchōng	12
不得不	（副）	bùdébù	2
不得了	（形）	bùdéliǎo	3
不管	（连）	bùguǎn	3
不好意思		bù hǎoyìsi	11
不然	（连）	bùrán	6
不如	（动，连）	bùrú	6
步	（名）	bù	1
部门	（名）	bùmén	4
部长	（名）	bùzhǎng	5

C

财产	（名）	cáichǎn	11

采取	（动）	cǎiqǔ	3
参考书	（名）	cānkǎoshū	7
（做）操	（名）	(zuò)cāo	4
曾经	（副）	céngjīng	2
插	（动）	chā	5
产生	（动）	chǎnshēng	6
长期	（名）	chángqī	7
常识	（名）	chángshí	8
场所	（名）	chǎngsuǒ	8
超过	（动）	chāoguò	3
朝	（介）	cháo	12
吵架		chǎojià	2
称	（动）	chēng	11
成就	（名）	chéngjiù	6
成年人	（名）	chéngniánrén	8
成员	（名）	chéngyuán	13
成长	（动）	chéngzhǎng	1
诚实	（形）	chéngshí	12
承认	（动）	chéngrèn	9
程度	（名）	chéngdù	3
惩罚	（动）	chéngfá	6
吃惊		chī jīng	12
充分	（形）	chōngfèn	11
崇拜	（动）	chóngbài	13
出版	（动）	chūbǎn	12
出现	（动）	chūxiàn	10
初步	（形）	chūbù	11
除此之外		chú cǐ zhī wài	8
处理	（动）	chǔlǐ	6
传染	（动）	chuánrǎn	7
纯洁	（形）	chúnjié	12
纯真	（形）	chúnzhēn	2
此	（代）	cǐ	10
此外	（代）	cǐwài	4
从来	（副）	cónglái	2
从事	（动）	cóngshì	11
粗心大意		cū xīn dà yì	10

存款单	（名）	cúnkuǎndān	10
存在	（动）	cúnzài	1
措施	（名）	cuòshī	1

D

达到		dá dào	1
打（太极拳）	（动）	dǎ(tàijíquán)	4
打（鱼）	（动）	dǎ(yú)	6
打扮	（动）	dǎban	12
大多	（副）	dàduō	1
大伙儿	（名）	dàhuǒr	12
大量	（形）	dàliàng	6
大声		dà shēng	10
大小	（名）	dàxiǎo	13
大型	（形）	dàxíng	6
大约	（副）	dàyuē	8
大自然	（名）	dàzìrán	6
代	（名）	dài	1
代价	（名）	dàijià	5
单（姓）	（形）	dān(xìng)	13
单亲	（形）	dānqīn	1
单身	（名）	dānshēn	1
但	（副）	dàn	4
当	（动）	dāng	3
当场	（名）	dāngchǎng	12
当今	（名）	dāngjīn	3
当前	（名）	dāngqián	1
当…时		dāng…shí	10
当做	（动）	dàngzuò	2
导致	（动）	dǎozhì	11
到底	（副）	dàodǐ	13
道德	（名）	dàodé	2
道理	（名）	dàolǐ	3
道路	（名）	dàolù	1
得了	（动）	déle	3
敌人	（名）	dírén	7
的确	（形）	díquè	3

171

迪斯科	（名）	dísīkē	4	分手		fēn shǒu	2
抵消	（动）	dǐxiāo	3	丰盛	（形）	fēngshèng	11
地方	（名）	dìfāng	4	丰富多彩		fēngfù duō cǎi	
地球	（名）	dìqiú	6				13
地区	（名）	dìqū	5	否认	（动）	fǒurèn	8
地位	（名）	dìwèi	5	否则	（连）	fǒuzé	3
地址	（名）	dìzhǐ	10	夫妇	（名）	fūfù	2
电子邮件		diànzǐ yóujiàn	4	服从	（动）	fúcóng	9
掉	（动）	diào	8	符号	（名）	fúhào	13
调查	（动，名）	diàochá	9	付出	（动）	fùchū	5
（有）毒	（名）	(yǒu) dú	8	负责	（动）	fùzé	4
度过	（动）	dùguò	7	妇女	（名）	fùnǚ	5
对	（量）	duì	1	副	（形）	fù	3
对不起	（动）	duìbuqǐ	2	富裕	（形）	fùyù	9
对待	（动）	duìdài	2				
对方	（名）	duìfāng	12		**G**		
对于	（介）	duìyú	1	改	（动）	gǎi	8
	E			改变	（动）	gǎibiàn	2
				肝	（名）	gān	9
儿媳妇儿	（名）	érxífur	4	赶（上）	（动）	gǎn(shang)	10
而	（连）	ér	1	感动	（动）	gǎndòng	10
				感情	（名）	gǎnqíng	2
	F			感染	（动）	gǎnrǎn	7
				干部	（名）	gànbù	4
发表	（动）	fābiǎo	10	告	（动）	gào	5
发病		fā bìng	6	个人	（名）	gèrén	1
发育	（动）	fāyù	8	各自	（代）	gèzì	11
法院	（名）	fǎyuàn	5	根本	（副，形，名）	gēnběn	1
番	（量）	fān	12	根据	（动）	gēnjù	9
反驳	（动）	fǎnbó	5	更加	（副）	gèngjiā	13
反感	（形）	fǎngǎn	12	工程	（名）	gōngchéng	9
反面	（名）	fǎnmiàn	5	工资	（名）	gōngzī	11
反映	（动）	fǎnyìng	13	公安	（名）	gōng'ān	9
犯罪		fàn zuì	1	公元	（名）	gōngyuán	3
泛滥	（动）	fànlàn	7	共同	（形）	gòngtóng	2
非	（副）	fēi	1	贡献	（动）	gòngxiàn	7
肺	（名）	fèi	8	构成	（动）	gòuchéng	9
废水	（名）	fèishuǐ	6				

172

故意	（副）	gùyì	9
怪	（动）	guài	10
关怀	（动）	guānhuái	7
关键	（名，形）	guānjiàn	8
关于	（介）	guānyú	2
观念	（名）	guānniàn	3
官衔	（名）	guānxián	13
光明	（形）	guāngmíng	13
广告	（名）	guǎnggào	8
国王	（名）	guówáng	5
过程	（名）	guòchéng	7
过年		guò nián	12
过去	（名）	guòqù	4

H

海	（名）	hǎi	10
害	（动）	hài	8
害处	（名）	hàichu	8
害怕	（动）	hàipà	8
含	（动）	hán	8
喊	（动）	hǎn	5
毫克	（量）	háokè	8
好处	（名）	hǎochù	8
好客	（形）	hàokè	11
合同	（名）	hétong	4
和美	（形）	héměi	7
后果	（名）	hòuguǒ	7
后记	（名）	hòujì	12
呼	（动）	hū	8
呼吸	（动）	hūxī	8
虎	（名）	hǔ	13
户	（量）	hù	6
划（船）	（动）	huá(chuán)	10
化肥	（名）	huàféi	6
化验	（动）	huàyàn	9
话题	（名）	huàtí	11
画报	（名）	huàbào	12

怀疑	（动）	huáiyí	9
怀孕		huái yùn	8
欢乐	（形）	huānlè	4
患者	（名）	huànzhě	7
换句话说		huàn jù huà shuō	13
皇帝	（名）	huángdì	13
灰色	（名）	huīsè	6
会议	（名）	huìyì	3
婚纱	（名）	hūnshā	12
婚生		hūn shēng	1

J

机关	（名）	jīguān	4
积极	（形）	jījí	3
吉利	（形）	jílì	12
极（大）	（副）	jí(dà)	9
即使	（连）	jíshǐ	11
疾病	（名）	jíbìng	6
记得	（动）	jìde	3
既然	（连）	jìrán	8
寂寞	（形）	jìmò	4
夹	（动）	jiā	11
…家		…jiā	1
价值	（名）	jiàzhí	9
坚强	（形）	jiānqiáng	2
煎熬	（动）	jiān'áo	9
捡	（动）	jiǎn	10
减少	（动）	jiǎnshǎo	1
见闻	（名）	jiànwén	4
建	（动）	jiàn	6
健美	（形）	jiànměi	4
渐渐	（副）	jiànjiàn	2
将	（副，介）	jiāng	3
将来	（名）	jiānglái	7
交换	（动）	jiāohuàn	11
交往	（动）	jiāowǎng	12

叫法	（名）	jiàofǎ	13
教育	（名，动）	jiàoyù	3
接触	（动）	jiēchù	7
节假日	（名）	jiéjiàrì	4
结构	（名）	jiégòu	1
结合	（动）	jiéhé	12
解放	（动）	jiěfàng	5
解决	（动）	jiějué	1
戒(烟)	（动）	jiè(yān)	8
今后	（名）	jīnhòu	3
仅仅	（副）	jǐnjǐn	2
尽管	（连，副）	jǐnguǎn	2
尽	（动）	jìn	4
进步	（动，形）	jìnbù	4
进场		jìn chǎng	13
进一步	（副）	jìnyibù	11
经历	（名，动）	jīnglì	7
精神	（名）	jīngshén	7
净	（形）	jìng	3
敬老院	（名）	jìnglǎoyuàn	4
就业		jiù yè	3
拒绝	（动）	jùjué	9
具体	（形）	jùtǐ	5
具有	（动）	jùyǒu	13
据	（动）	jù	3
决	（副）	jué	3
决心	（名）	juéxīn	8

K

开展	（动）	kāizhǎn	8
看不起	（动）	kànbuqǐ	12
看样子		kàn yàngzi	4
看重	（动）	kànzhòng	2
科学	（名，形）	kēxué	2
可信	（形）	kěxìn	5
渴	（形）	kě	10
渴望	（动）	kěwàng	2

课本	（名）	kèběn	12
恐怕	（副）	kǒngpà	5
控制	（动）	kòngzhì	3
口号	（名）	kǒuhào	5
苦	（形）	kǔ	2

L

垃圾	（名）	lājī	6
辣	（形）	là	2
来不及	（动）	láibují	12
来源	（动，名）	láiyuán	13
来自	（动）	láizì	6
浪费	（动）	làngfèi	12
劳动	（动）	láodòng	4
老(是)	（副）	lǎo(shì)	6
老百姓	（名）	lǎobǎixìng	11
老两口儿	（名）	lǎoliǎngkǒur	4
老年	（名）	lǎonián	4
类	（量）	lèi	11
类似	（形）	lèisì	12
里面	（名）	lǐmiàn	10
力量	（名）	lìliàng	2
力所能及		lì suǒ néng jí	7
历来	（名）	lìlái	13
立即	（副）	lìjí	5
立刻	（副）	lìkè	12
利用	（动）	lìyòng	7
例子	（名）	lìzi	5
练(气功)	（动）	liàn(qìgōng)	4
良好	（形）	liánghǎo	6
粮食	（名）	liángshi	6
聊天		liáo tiān	11
了	（动）	liǎo	9
邻居	（名）	línjū	2
临	（介）	lín	9
领导	（名，动）	lǐngdǎo	13
另	（副）	lìng	5

流	(动)	liú	2
流传	(动)	liúchuán	13
流浪儿	(名)	liúlàng'ér	7
陆续	(副)	lùxù	13
录音	(名)	lùyīn	3
率	(名)	lǜ	1
绿	(形)	lǜ	6

M

贸易	(名)	màoyì	11
媒体	(名)	méitǐ	8
美丽	(形)	měilì	6
梦	(名)	mèng	9
免去		miǎn qù	10
勉强	(动，形)	miǎnqiǎng	11
面对	(动)	miànduì	2
面前	(名)	miànqián	10
面子	(名)	miànzi	11
名称	(名)	míngchēng	13
明显	(形)	míngxiǎn	6
命	(名)	mìng	8
母系	(形)	mǔxì	13
目前	(名)	mùqián	7

N

拿…来说		ná…lái shuō	5
难忍		nán rěn	9
脑	(名)	nǎo	8
内	(名)	nèi	3
能干	(形)	nénggàn	2
能够	(助动)	nénggòu	7
尼古丁	(名)	nígǔdīng	8
年龄	(名)	niánlíng	11
娘家	(名)	niángjia	9
农民	(名)	nóngmín	9
浓厚	(形)	nónghòu	11
女士	(名)	nǚshì	13

女婿	(名)	nǚxu	4
虐待	(动)	nüèdài	5

P

判处	(动)	pànchǔ	9
皮包	(名)	píbāo	10
平等	(形)	píngděng	5
平均	(名，动)	píngjūn	1
破裂	(动)	pòliè	1

Q

其次	(代)	qícì	7
其实	(副)	qíshí	12
其他	(代)	qítā	7
其中	(名)	qízhōng	6
奇怪	(形)	qíguài	11
歧视	(动)	qíshì	5
起(名)	(动)	qǐ(míng)	13
起…作用		qǐ…zuòyòng	7
气功	(名)	qìgōng	4
千差万别		qiān chā wàn bié	5
签订	(动)	qiāndìng	4
前面	(名)	qiánmiàn	13
前言	(名)	qiányán	12
抢	(动)	qiǎng	10
切	(动)	qiē	12
亲	(形)	qīn	2
亲情	(名)	qīngqíng	4
亲人	(名)	qīnrén	7
亲身	(副)	qīnshēn	7
青	(形)	qīng	6
轻易	(形)	qīngyì	11
清新	(形)	qīngxīn	6
倾家荡产		qīng jiā dàng chǎn	10
情形	(名)	qíngxíng	1

请求	（动）	qǐngqiú	9
（全）球	（名）	(quán)qiú	3
区别	（动）	qūbié	13
取得	（动）	qǔdé	6
权利	（名）	quánlì	5
劝	（动）	quàn	11
却	（副）	què	5
确诊	（动）	quèzhěn	7

R

然而	（连）	rán'ér	5
热烈	（形）	rèliè	10
人家	（名）	rénjiā	6
人类	（名）	rénlèi	6
人人为我		rén rén wèi wǒ	
			10
人生	（名）	rénshēng	9
人生七十古来稀		rénshēng qīshí gǔ lái xī	4
人体	（名）	réntǐ	1
任何	（代）	rènhé	5
仍然	（副）	réngrán	1
如	（动）	rú	6
如何	（代）	rúhé	4
如实	（副）	rúshí	9
（流）入	（动）	(liú)rù	6

S

丧事	（名）	sāngshì	12
杀	（动）	shā	9
沙滩	（名）	shātān	10
傻瓜	（名）	shǎguā	10
晒	（动）	shài	10
上班		shàng bān	4
上级	（名）	shàngjí	11
上诉	（动）	shàngsù	9
上下	（名）	shàngxià	10
上游	（名）	shàngyóu	6

社会学	（名）	shèhuìxué	1
身份	（名）	shēnfèn	12
身份证	（名）	shēnfènzhèng	10
甚至	（连）	shènzhì	11
生（孩子）	（动）	shēng(háizi)	2
生命	（名）	shēngmìng	7
失败	（动）	shībài	11
失去	（动）	shīqù	4
失业		shī yè	3
失主	（名）	shīzhǔ	10
师长	（名）	shīzhǎng	11
时常	（副）	shícháng	11
时代	（名）	shídài	13
时刻	（名）	shíkè	7
实际	（形）	shíjì	13
实践	（动，名）	shíjiàn	11
实施	（动）	shíshī	9
使	（动）	shǐ	6
氏族	（名）	shìzú	13
世纪	（名）	shìjì	6
是否	（副）	shìfǒu	1
事实	（名）	shìshí	1
事业	（名）	shìyè	2
适宜	（形）	shìyí	11
…似的	（助）	…shìde	5
收集	（动）	shōují	13
收入	（动，名）	shōurù	4
寿命	（名）	shòumìng	4
受	（动）	shòu	5
输血		shū xuè	7
熟人	（名）	shúrén	13
熟悉	（形）	shúxī	11
属于	（动）	shǔyú	10
数字	（名）	shùzì	5
水库	（名）	shuǐkù	6
税	（名）	shuì	8
顺利	（形）	shùnlì	4

说明	（动）	shuōmíng	9
私事	（名）	sīshì	11
死亡	（动）	sǐwáng	3
速度	（名）	sùdù	3
酸	（形）	suān	2
算	（动）	suàn	11
随（着）	（动）	suí(zhe)	4
随便	（形，连）	suíbiàn	12
损失	（名，动）	sǔnshī	7
所	（助）	suǒ	3
所有	（形）	suǒyǒu	4

T

胎儿	（名）	tāi'ér	8
太极拳	（名）	tàijíquán	4
太阳	（名）	tàiyáng	10
谈论	（动）	tánlùn	3
躺	（动）	tǎng	6
特色	（名）	tèsè	13
疼痛	（形）	téngtòng	9
提倡	（动）	tíchàng	10
提供	（动）	tígōng	10
提醒	（动）	tíxǐng	8
题目	（名）	tímù	1
体会	（动）	tǐhuì	11
体现	（动）	tǐxiàn	11
天	（名）	tiān	5
天空	（名）	tiānkōng	6
天上	（名）	tiānshàng	10
天有不测风云		tiān yǒu bú cè fēngyún	9
添	（动）	tiān	11
甜	（形）	tián	2
条件	（名）	tiáojiàn	1
跳	（动）	tiào	3
同情	（动）	tóngqíng	10
同情心	（名）	tóngqíngxīn	10
同事	（名）	tóngshì	11

同样	（形）	tóngyàng	1
统计	（动）	tǒngjì	3
痛苦	（形）	tòngkǔ	2
偷	（动）	tōu	10
头	（形）	tóu	6
突破	（动）	tūpò	3
图腾	（名）	túténg	13
徒刑	（名）	túxíng	9
途径	（名）	tújìng	7
推辞	（动）	tuīcí	12
退休金	（名）	tuìxiūjīn	4

W

晚年	（名）	wǎnnián	4
晚期	（名）	wǎnqī	9
往往	（副）	wǎngwǎng	12
危险	（形）	wēixiǎn	8
微笑	（动）	wēixiào	10
伟大	（形）	wěidà	6
卫生	（名，形）	wèishēng	4
未	（副）	wèi	6
温暖	（形）	wēnnuǎn	2
温柔	（形）	wēnróu	13
我为人人		wǒ wèi rén rén	10
污染	（动）	wūrǎn	6
无	（动）	wú	8
无非	（副）	wúfēi	12
无家可归		wú jiā kě guī	7
无论	（连）	wúlùn	12
无数	（形）	wúshù	1
物质	（名）	wùzhì	8
误会	（名，动）	wùhuì	11

X

| 吸 | （动） | xī | 8 |
| 吸毒 | | xī dú | 7 |

喜庆	（形）	xǐqìng	12	选	（动）	xuǎn	3
系统	（名，形）	xìtǒng	8	学期	（名）	xuéqī	13
细胞	（名）	xìbāo	1	学术	（名）	xuéshù	12
虾	（名）	xiā	6	学问	（名）	xuéwèn	12
下（决心）	（动）	xià(juéxīn)	9	学者	（名）	xuézhě	2
下面	（名）	xiàmiàn	4	血管	（名）	xuèguǎn	8
吓	（动）	xià	3	血统	（名）	xuètǒng	1
鲜艳	（形）	xiānyàn	12	询问	（动）	xúnwèn	11
显得	（动）	xiǎnde	12				
县	（名）	xiàn	9			**Y**	
现金	（名）	xiànjīn	10				
现实	（名，形）	xiànshí	2	烟雾	（名）	yānwù	8
现状	（名）	xiànzhuàng	2	延长	（动）	yáncháng	4
陷入	（动）	xiànrù	9	严重	（形）	yánzhòng	6
相亲相爱		xiāng qīn xiāng ài		（肺）炎	（名）	(fèi)yán	8
			2	眼看	（副）	yǎnkàn	12
相同	（形）	xiāngtóng	13	眼泪	（名）	yǎnlèi	2
相信	（动）	xiāngxìn	1	养	（动）	yǎng	9
香烟	（名）	xiāngyān	8	养老		yǎng lǎo	3
想法	（名）	xiǎngfǎ	3	养老院	（名）	yǎnglǎoyuàn	4
向来	（副）	xiànglái	4	样	（量）	yàng	10
象征	（动）	xiàngzhēng	12	摇（头）	（动）	yáo(tóu)	10
小伙子	（名）	xiǎohuǒzi	10	药物	（名）	yàowù	7
小看	（动）	xiǎokàn	6	也许	（副）	yěxǔ	9
晓得	（动）	xiǎode	5	医疗	（名）	yīliáo	3
孝顺	（动）	xiàoshùn	4	医学	（名）	yīxué	8
协会	（名）	xiéhuì	3	一旦	（副）	yídàn	11
心脏病		xīnzàng bìng	8	一系列	（形）	yíxìliè	3
形成	（动）	xíngchéng	12	一下子	（副）	yíxiàzi	12
形容	（动）	xíngróng	13	一再	（副）	yízài	9
形式	（名）	xíngshì	7	一致	（形）	yízhì	5
幸福	（形）	xìngfú	2	遗弃	（动）	yíqì	4
性	（名）	xìng	7	遗书	（名）	yíshū	9
兄弟	（名）	xiōngdì	9	疑问	（名）	yíwèn	5
修养	（名）	xiūyǎng	12	以	（连）	yǐ	12
虚伪	（形）	xūwěi	12	以及	（连）	yǐjí	8
宣传	（动）	xuānchuán	7	以…为…		yǐ…wéi…	1
				一生	（名）	yìshēng	2

议论	(动)	yìlùn	10
议员	(名)	yìyuán	5
异口同声		yì kǒu tóng shēng	5
异性	(名)	yìxìng	11
意味着	(动)	yìwèizhe	2
意愿	(名)	yìyuàn	11
因此	(连)	yīncǐ	5
因…而…		yīn…ér…	7
引起	(动)	yǐnqǐ	8
瘾	(名)	yǐn	8
印	(动)	yìn	8
影响	(动,名)	yǐngxiǎng	11
永久	(形)	yǒngjiǔ	6
永远	(副)	yǒngyuǎn	5
勇敢	(形)	yǒnggǎn	13
优美	(形)	yōuměi	6
尤其	(副)	yóuqí	11
由	(介)	yóu	1
由…而…		yóu…ér…	13
由于	(连)	yóuyú	1
犹豫	(形)	yóuyù	2
有利	(形)	yǒulì	7
有时候		yǒu shíhou	2
有效	(形)	yǒuxiào	7
于	(介)	yú	2
于是	(连)	yúshì	2
与	(介,连)	yǔ	4
与其…不如…		yǔqí…bùrú…	9
预防	(动)	yùfáng	7
预计	(动)	yùjì	3
原因	(名)	yuányīn	5
远古	(名)	yuǎngǔ	13
愿	(动)	yuàn	4
约	(动)	yuē	12
岳父	(名)	yuèfù	2
岳母	(名)	yuèmǔ	2

允许	(动)	yǔnxǔ	5
运气	(名)	yùnqi	10

Z

再说	(连)	zàishuō	5
在…下		zài…xià	7
在…中		zài…zhōng	2
赞成	(动)	zànchéng	9
赞扬	(动)	zànyáng	10
造成		zào chéng	6
造纸		zào zhǐ	6
噪音	(名)	zàoyīn	6
责任	(名)	zérèn	4
怎么办		zěnme bàn	1
增长	(动)	zēngzhǎng	3
占	(动)	zhàn	4
长辈	(名)	zhǎngbèi	13
掌握	(动)	zhǎngwò	11
招待	(动)	zhāodài	11
招呼语	(名)	zhāohuyǔ	11
照顾	(动)	zhàogù	7
者	(助)	zhě	3
诊断	(动)	zhěnduàn	9
(一)阵	(量)	(yí)zhèn	10
争论	(动)	zhēnglùn	5
征收	(动)	zhēngshōu	8
整理	(动)	zhěnglǐ	9
正面	(名)	zhèngmiàn	5
证明	(动)	zhèngmíng	5
政策	(名)	zhèngcè	1
之	(助)	zhī	1
之后	(名)	zhīhòu	4
之间	(名)	zhījiān	11
之一		zhī yī	7
之中		zhī zhōng	9
支气管	(名)	zhīqìguǎn	8
知识	(名)	zhīshi	12

知识分子		zhīshi fènzǐ	4	专家	(名)	zhuānjiā	3
直接	(形)	zhíjiē	13	转	(动)	zhuǎn	12
值钱	(形)	zhíqián	12	状况	(名)	zhuàngkuàng	11
职称	(名)	zhíchēng	13	追求	(动)	zhuīqiú	1
职业	(名)	zhíyè	13	准	(动，形，副)	zhǔn	8
植物	(名)	zhíwù	13	准时	(形)	zhǔnshí	13
只是	(副)	zhǐshì	7	资料	(名)	zīliào	8
只有	(连)	zhǐyǒu	13	子女	(名)	zǐnǚ	1
止境	(名)	zhǐjìng	12	自从	(介)	zìcóng	4
指出		zhǐ chū	1	自然	(形，名)	zìrán	2
指导	(动)	zhǐdǎo	7	自杀	(动)	zìshā	9
至今	(副)	zhìjīn	5	自由	(形，名)	zìyóu	1
治理	(动)	zhìlǐ	6	自愿	(动)	zìyuàn	9
治疗	(动)	zhìliáo	7	自在	(形)	zìzài	1
制订	(动)	zhìdìng	1	…字旁		…zì páng	13
质量	(名)	zhìliàng	12	总结	(动，名)	zǒngjié	5
致死量	(名)	zhìsǐliàng	8	总理	(名)	zǒnglǐ	5
中国通	(名)	zhōngguótōng	11	总之	(连)	zǒngzhī	13
				组成		zǔ chéng	1
中西	(名)	zhōngxī	12	组织	(动，名)	zǔzhī	7
忠	(形)	zhōng	13	最好	(副)	zuìhǎo	3
终于	(副)	zhōngyú	9	罪	(名)	zuì	9
种	(动)	zhòng	6	尊敬	(形)	zūnjìng	4
逐渐	(副)	zhújiàn	8	尊重	(动)	zūnzhòng	5
主动	(形)	zhǔdòng	10	作为	(动)	zuòwéi	2
主人	(名)	zhǔrén	11	作用	(名)	zuòyòng	7
主席	(名)	zhǔxí	3	作者	(名)	zuòzhě	12
助人为乐		zhù rén wéi lè	10	座位	(名)	zuòwèi	12
注重	(动)	zhùzhòng	13	做法	(名)	zuòfǎ	3

专有名词 Proper Nouns

B

白	Bái	13
《百家姓》	《Bǎijiā Xìng》	13

D

大洋洲	Dàyángzhōu	7
第二次世界大战	Dì Èr Cì Shìjiè Dàzhàn	3

词语例解索引
Index of Word Study

功 能 大 纲
Outline of Functions

1. 本《功能大纲》分为表情功能、表态功能、表意功能和表事功能四类，共 65 个功能项目，每一类里的功能项目按出现的先后顺序排列。例句后边的数字表示该功能点出现的课数。

This OUTLINE OF FUNCTIONS summarizes 4 categories of functions (expressive, attitudinal, informative, and referential) with 65 items. The items in each category are presented in the order as they appear in the textbook.

2. 功能项目前的阿拉伯数字，如 1、2、3……为功能项目名称的总序号；（）、[]、○内的阿拉伯数字分别为同一功能项目的不同功能点、该功能项目或功能点所在的课文、同一功能项目或功能点的不同表达形式。

The number (e. g. 1, 2, 3……) before each item refers to the ordinal number of the item in the outline. And the numbers in (), [], and ○ refer respectively to the different points within the same item, the text in which the items or points appear, and the number of ways to express the same idea.

一 表情功能（1～2 共 2 个）
Expressive Functions

表达对客观事物或对对方的某种情感的功能。

It expresses the emotion and sentiment of the speaker toward the addressee or the object referred to.

1. 表达愿望

　　但愿这一天能早一点儿到来！　　[7]

2. 反感

　　我对他很反感，不想和他一起去。　　[12]

二 表态功能 (3~9 共 7 个)
Attitudinal Functions

表达对对方或对自己说话内容的态度或语气的功能。

It expresses the attitude or mood of the speaker toward the addressee or the content of the speech.

3. 客气地否定对方的说法
(1) "我觉得现在社会早就男女平等了。"

"不见得吧。你能谈得具体点儿吗?"　　[5]

(2) 你这种看法,我很难同意。　　[10]

(3) "便宜的东西一定不是好东西。"

"好像不能这样说,便宜的东西也有好的。"　　[10]

4. 禁止
(1) 爸爸不准我和弟弟喝这种酒。　　[8]

(2) 我国法律规定,新闻媒体不得为香烟做广告。　　[8]

(3) 今天的考试不允许看书和查词典。　　[8]

5. 表示最大限度地估量
李老师的年纪好像不大,看样子最大也就 40 岁。　　[9]

6. 怀疑
我怀疑他今天不会来了。　　[9]

7. 赞成/不赞成
社会上有许多人不赞成实施安乐死。　　[10]

8. 强调
我的汉语还很差,尤其是听的能力。　　[11]

9. 表示随意
你现在有时间吗?我想和你随便聊聊。　　[12]

三 表意功能 (10~32 共 23 个)
Informative Functions

向对方传递某种信息的功能。

It conveys information to the addressee.

10. 转述
(1) 这家报纸指出:"现在,不少年轻人不想结婚。这些人对家庭和孩子不感兴趣,他们追求的是一种自由自在的单身生活。"　　[1]

(2) 人口专家预计,公元 2030 年全球人口将达到 85 亿。　　[3]

11. 表述实情

(1) 好像是听懂了，<u>事实上</u>没有真正听懂。　　[1]

(2) 他嘴上说不想去，<u>其实</u>他心里很想去。　　[12]

(3) <u>实际上</u>，《百家姓》里收集的不是一百个姓，而是五百多个姓。　　[13]

12. 引出话题

<u>关于</u>结婚和生孩子的<u>问题</u>，他们的看法不太一样。　　[2]

13. 目的

我想去中国留学，<u>为的是</u>更好地学习汉语，更好地了解中国。　　[2]

14. 某时发生某事

(1) 我<u>在</u>大学二年级<u>时</u>认识了他。　　[3]

(2) 吃完午饭，我正要去买东西，<u>这时候</u>，外面下起了雨。　　[10]

(3) <u>当</u>我回来<u>的时候</u>，他已经睡了。　　[8]

15. 唤起注意

(1) <u>你想想</u>，她知道晚会是七点钟开始，现在已经八点半了，所以她肯定不会来了。　　[3]

(2) <u>你是否想到</u>，在你为捡到钱而高兴的同时，丢钱的人会是多么着急和痛苦！　　[10]

16. 表示希望或建议

你想学汉语<u>最好</u>到中国去学。　　[3]

17. 表示修正上文

我不太想去，<u>当然</u>，如果大家都去，我也可以去。　　[4]

18. 表示列举

退休后的老人，<u>有的</u>身体不好，<u>有的</u>子女不孝顺，<u>有的</u>生活有困难。　　[4]

19. 表达题外话

(1) <u>顺便</u>告诉你，下个星期学习新课，请你准备一下。　　[4]

(2) ……<u>顺便说一下</u>，明天有个中国电影，有时间你们可以去看看。　　[4]

20. 举例说明

(1) 不同的人，学习汉语的目的也不同，<u>拿我来说</u>，学汉语是为了学习中国经济。　　[5]

(2) 全世界每年有几十万被动吸烟者得心脏病或癌症而死。<u>以</u>美国<u>为例</u>，每年因被动吸烟而死于肺癌的就有三千多人。　　[8]

21. 从两个不同的方面来说明

(1) 考试成绩好，<u>这只是一个方面</u>，<u>另一方面</u>还要看他的实际能力怎么样。　　[5]

(2) 我现在还不想去留学。<u>一方面</u>我还没申请到奖学金；<u>另一方面</u>有两门专业课还没学完。　　[5]

22. 引出结论或结果

(1) 由于他每天都坚持学习三个小时的外语，<u>因此</u>，他进步得相当快。　　[5]

(2) <u>事实证明</u>，妇女要得到跟男人一样的地位，必须付出更大的代价。　　[8]

(3) 这一成绩<u>表明</u>，你平时学习不太努力。　　[8]

23. 表示进一步说明

(1) 假期我有很多事，<u>再说</u>我也没有钱，因此暑假我不想去旅行。　　[5]

(2) 这个故事很生动，<u>不仅</u>孩子喜欢听，<u>甚至</u>成年人也喜欢听。　　[11]

24. 表示前后对比

开始我很不适应这里的生活，后来才慢慢地适应了。 〔6〕

25. 解释原因

(1) 我说汉语他听不懂，原来他不是中国人，是日本人。 〔6〕

(2) 不用告诉他了，因为他已经知道了。 〔6〕

26. 表示从某人、某事的角度来看

汉语的四个声调，对我们外国人来说是很难的。 〔7〕

27. 展望

相信不久的将来，艾滋病也会跟其他疾病一样能够得到有效的治疗。 〔7〕

28. 补充说明

我想去北京、西安、杭州等地旅行，除此之外有时间的话还想去广州和桂林。 〔8〕

29. 表示某种情况持续不变

下课后，大家仍然在讨论这个问题。 〔9〕

30. 总括上文

……总之，这些都反映了社会历史和经济文化等对"姓"的影响。 〔13〕

31. 表示换个说法

他已经上班几个月了，换句话说，他早就找到工作了。 〔13〕

32. 转换话题

说到送礼，中国人的想法和做法跟我们很不一样。 〔13〕

四 表事功能（33～65 共 33 个）
Referential Functions

表达客观事物的一般意念或事物之间关系的功能。

It indicates the general notion of an object or the relations between objects.

33. 范围

(1) 在一些国家里，每三对结婚的就有一对离婚的。 〔1〕

(2) 在几十年的共同生活中，他们一直互相关心，互相帮助。 〔2〕

34. 罗列

(1) 第一，家庭越来越小，……第二，离婚率越来越高，……第三，非婚生子女越来越多，……第四，单身比例越来越大……。 〔11〕

(2) 首先，介绍一下中国的经济情况，其次，……第三，……。 〔7〕

35. 数量增减

(1) 最近十年来，单身家庭由5％增加到32％。 〔1〕

(2) 有一个国家十年来，五口人的家庭由37％减少到6％。 〔1〕

36. 表述在不同的时间情况的变化

<u>半年以前</u>我连一句汉语也不会说，<u>现在</u>我可以进行简单的会话了。　[1]

37. 表示原因和结果

（1）<u>由于</u>天气不好，飞机晚点两个小时。　[11]

（2）苏姗<u>因</u>病<u>而</u>没有参加比赛。　[7]

38. 承接关系

（1）丁文月没有找到你，<u>于是</u>就自己去了。　[2]

（2）我们<u>先</u>讨论一下，<u>然后</u>再作决定。　[6]

（3）哥哥<u>先</u>到了北京，<u>接着</u>又去了西安和广州。　[6]

（4）面试通过了，<u>就这样</u>我当上了这家公司的秘书。　[9]

39. 指代相同的事物

谢丽和李昌德结婚60多年了，<u>两个人</u>相亲相爱，在几十年的共同生活中，<u>他们</u>从没吵过架。　[2]

40. 表示让步转折

（1）他<u>尽管</u>身体不好，<u>可是</u>仍然坚持工作。　[2]

（2）他笔试的成绩总是不好，<u>尽管</u>他很努力。　[2]

41. 连接两种相反的情况

（1）你认为现在就应该去，<u>相反</u>，我认为现在不应该去。　[2]

（2）控制人口当然很难，<u>否则</u>就不会成为世界的一大社会问题了。　[3]

（3）他一定是有什么事，<u>不然的话</u>，为什么这么晚还不回来。　[6]

42. 表示某种情况即将发生

（1）预计2030年全球人口<u>将</u>达到85亿，2050年<u>将</u>突破100亿。　[3]

（2）<u>眼看</u>要下雨了，我们快点儿走吧！　[2]

43. 推论

他说，面试通过的话就给我打电话，可是已经一个星期了，他也没来电话。<u>由此看来</u>，这次面试我没有通过。　[3]

44. 书信结构

（略）　[4]

45. 指称不确定的某时

<u>有一天</u>早晨，我跟一对中国老夫妇谈了起来。　[4]

46. 表示某时之后

（1）听完报告<u>之后</u>，大家马上讨论了起来。　[4]

（2）<u>下课后</u>我在校门口等你。　[4]

47. 表示后者伴随前者而出现

<u>随着</u>年龄的增长，人的经验也在增长。　[4]

48. 表示语意转变

他还爱着妻子，<u>然而</u>妻子已不爱他了。　[5]

49. 用人称代词表示虚指

同学们<u>你</u>一句，<u>我</u>一句，提了很多意见。　[5]

50. 承前省略

他 A 技术好，［A］养的鱼又多又大，［A］每年收入不少，［A］日子过得挺不错。　　［6］

51. 表示比较

这几次考试成绩，一次不如一次好。　　［6］

这张照片不如那张照得好。　　［6］

52. 表示条件

在陈教授的帮助和鼓励下，我开始研究中国的京剧。　　［7］

53. 论证结构

（略）　　［7］

54. 由前提推断结论

你既然不想说，我也就不问了。　　［8］

55. 表示论断的依据

根据调查，社会上许多人都赞成安乐死。　　［9］

56. 表示唯一的选择

(1) 飞机票太贵，我们只能坐火车去。　　［9］

(2) 张先生不懂法语，我只好用英语跟他说。　　［12］

57. 表示取舍

(1) 与其让你来我这儿，不如我去你那儿方便。　　［9］

(2) 与其说是没考好，不如说是没学好。　　［9］

58. 叙述结构

（略）　　［10］

59. 表示语意递进

京剧不但中国人喜欢看，不少外国人也喜欢看。　　［11］

60. 表示假设

我一旦找到好的工作，首先告诉你。　　［11］

61. 表示假设兼让步

即使下雨，我们也要去。　　［11］

62. 表示条件和结果

无论是做人还是做学问，都要谦虚。　　［12］

63. 来源

文学和艺术都来源于现实生活。　　［13］

64. 构成

(1) 我们班由十名男同学和八名女同学组成。　　［13］

(2) 无数个细胞组成了人体，无数个家庭构成了社会。　　［13］

65. 表示唯一的条件

只有在周末我才能见到她。　　［13］

语 法 索 引
Index of Grammar

　　本索引包括《新编汉语教程》第 3 册出现的所有语法项目，按下列七类分别排列。每个项目后面的数码表示该项目所在的课数。

　　This index includes all the grammar items that have occurred in Book Ⅲ of *New Chinese Course*. They are divided into seven sections where the number on the right indicates the lesson in which it appears.

一 词类 Parts of Speech

方位词"上"　the noun of locality "上"　　[1]

疑问代词"谁"表任指　the interrogative pronoun "谁" for indefinite reference　　[5]

疑问代词"什么"表列举　the interrogative pronoun "什么" for listing　　[1]

疑问代词"什么"表不肯定事物　the interrogative pronoun "什么" for uncertainty　　[10]

疑问代词"什么"表任指　the interrogative pronoun "什么" for indefinite reference　　[2]

疑问代词"哪儿"表虚指　the interrogative pronoun "哪儿" for vague reference　　[12]

代词"任何"　the pronoun "任何"　　[5]

动词"有"　the verb "有"　　[4]

动词"上"　the verb "上"　　[1]

动词"为"　the verb "为"　　[6]

动词"使"用于兼词　the verb "使" used in a pivotal sentence　　[6]

动词"得"　the verb "得"　　[8]

动词"算"　the verb "算"　　[11]

动词"满"＋数量词　the adjective "满"＋numeral measure word　　[8]

形容词"近"＋数量词　the adjective "近"＋numeral measure word　　[8]

形容词"好"　the adjective "好"　　[11]

数词"一"＋动词　the numeral "一"＋verb　　[3]

小数的读法　the reading of decimals　　[1]

分数表示法　the indication of fractions　　[5]

"上下"表概数　"上下" used to indicate an approximative number　　[10]

"来"表概数　"来" used to indicate an approximate number　　[4]

动量词"声"　the verbal measure word "声"　　[9]

动量词"阵"　the verbal measure word "阵"　　[10]

动量词"番"　the verbal measure word "番"　　[12]

二 词组与固定格式 Phrases and Sentence Patterns

三 句子成分 Elements of Sentences

动宾结构做主语　verb-object structure as a subject [6]

"多的是"做谓语　"多的是" as a predicate　[5]

"起……作用"做谓语　"起……作用" as a predicate　[7]

动词"随"加"着"及宾语在句中做状语　"随＋着＋object" as an adverbial　[4]

"满"重叠做程度补语　the reduplication of "满" as a complement of degree　[1]

形容词"死"做程度补语　the adjective "死" as a complement of degree　[10]

"上"做结果补语及其引申意义　"上" as a resultative complement and its extended meanings

[1, 2, 4]

"够"做结果补语　"够" as a resultative complement　[2]

"掉"做结果补语　"掉" as a resultative complement　[8]

"走"做结果补语　"走" as a resultative complement　[12]

"开"做可能补语　"开" as a complement of possibility　[1]

"着"做可能补语　"着" as a complement of possibility　[3]

"好"做可能补语　"好" as a complement of possibility　[9]

"了"（liǎo）做可能补语　"了" as a complement of possibility　[9, 10]

"上"做可能补语　"上" as a complement of possibility　[11]

"去"做趋向补语　"去" as a directional complement　[8]

"起"做趋向补语　"起" as a directional complement　[3，6]

"出来"做趋向补语　"出来" as a directional complement　[3，5]

"出"做趋向补语　"出" as a directional complement　[7]

"下来"做趋向补语　"下来" as a directional complement　[3，13]

"下去"做趋向补语　"下去" as a directional complement　[9]

"上来"做趋向补语　"上来" as a directional complement　[8]

"起来"做趋向补语　"起来" as a directional complement　[8]

"过来"做趋向补语　"过来" as a directional complement　[12]

四 几种特殊句子 Some Special Sentences

"把"字句　the "把" sentences　[1, 8]

"被"字句　the "被" sentences　[9]

"有"的兼语句　pivotal sentences with "有"　[7]

兼语句套连动句　a sentence with verbal constructions in series within a pivotal sentence　[4]

"是……的"句　"是……的" sentence　[7, 11]

五 复句 Complex Sentences

由于……　due to...　[1]

是……而不是……　is... not...　[1]

尽管……但……　despite...　[2]

……，为的是……　just for...　[2]

191

六 比较的方法 Ways of Comparison

七 强调的方法 Ways of Emphasis